彼女たちの好きな鈴木邦男

編／邦男ガールズ

ハモニカブックス

序——私たちの好きな鈴木邦男

邦男ガールズ

最近、雨宮処凛さんがウェブマガジン「マガジン9」（雨宮処凛がゆく！第504回）で映画監督の森達也さんについて書きながら、鈴木邦男のことにも言及されていた。

——そんな森さんを私は非常に信頼し、なついているのだが、私がなついているオッサンはもう一人いる。愛される右翼・鈴木邦男だ。この二人には共通点がある。それは、付き合いが長いのに、私はこの二人から何かを押し付けられた経験が一度もないこと。「自分は正しい」という傲慢を感じたこともないこと。「正義の暴走」の恐ろしさを知っていることだ。

そうそう、そうなのだ。私たちも鈴木邦男に「なついて」いる。この雨宮さんの表現はじつに私たちの感覚を言い当ててくれている。「好き」とか「支持する」とはちょっと違うのだ。

この本では、私たちが「なついて」いるこのオッサンの「愛される理由」を探求してみたい。鈴木邦男はほかの男たちとどこが違うのだろう。この探求は、この国の男たちの有りようを考えることにもつながるかもしれない。

たとえば、鈴木邦男がときどき口にするR・S・S・Oという金言みたいなものがある。運動や活動に必要な原則をアルファベット4文字で示したものだという。

Rは理論（RIRON）のR。

Sは組織（SOSHIKI）のS。

もうひとつのSは資金（SHIKIN）のS。

そして最後のOはなんと、女（ONNA）のOなのだ。

そこだけ聞くとちょっと気持ち悪いかもしれないが、運動や活動に女性が必要だという原則。女性が共感できない、参加できないような運動は伸びない。廃れる、ということを意味している。

だから鈴木邦男は、女性の目線をとても大事に考えている。シンポジウムや人のたくさん集まる場所、どこへ行くにも私たちを誘い、私たちの反応を気にする。いつからか私たちは「邦男ガールズ」と呼ばれるようになった。

もちろん私たちが女でなかったとしても同じことかもしれないが、ここには少なくとも人と人の対等な関係がある。行く先々で見聞きすること、起きることに私たちが共感するか。心を動かされるか。鈴木邦男はそんな私たちの感覚を、ものごとを判断する指標にしている、そう感じることがあるのだ。

そんなとき、鈴木邦男は、世の中で言われるような、右翼だとか愛国者だとかリベラルだとか、そういう次元とは別のところに存在している。私たちの「なついて」いるのはそんなオッサンだ。

鈴木邦男は女について何をどう語っているのか。女性たちとどんな対話をしてきたのか。そして私たちにとって、鈴木邦男とは何者なのか。

目次

I

女について語るとき鈴木邦男が語ること

愛国者としての私の一番の欠陥は、自分でよくわかってるんです。結婚してないし子どもを残してない。愛国者として、これほどの欠陥はありません。

初出＝練馬区光が丘地区区民館での講演から　２０１９年３月16日

潔癖症と愛国

女に振られて死のうと思っていた。20年ほど前のことだ。それで推理小説ばっかり読んでいた。何かに没頭してないと、自殺してしまう。あるいは、ヤケで誰かを殺してしまう。そう思いつめる自分が怖かった。だから「現実逃避」のために推理小説ばっかり読んでいた。

アガサ・クリスティも横溝正史も全部読んだ。その中で、妙に気になってる小説がある。作者は言わないが、こんな小説だった。主人公の女性は殺人事件を追っている。パートナーの男は協力して助けてくれる。いい男だ。ハンサムだし、身だしなみがいいし、きれい好きだが、その度合いがちょっと強い。潔癖性というのだろう。何せ、電車の中で、吊革も握れない。誰が触ったか分からない。汚い。それで、ハンカチを出して、吊革にかぶせてから握る。飲み会でも、皆で鍋をつつき合うことも出来ない。他人の箸も入ってる。汚い。だから、飲み会にも出ない。他人と握手も出来ない。ドアのノブも回せない。うっ、俺と同じだなと思った。僕だって昔は潔癖性だった。それで女に捨てられた。

初出＝鈴木邦男の愛国問答２００８年10月1日（マガジン９）より

いい女とは

大方の女性の怒りを買うかもしれませんけれども、日本にいい女っているのかなという気がするんです。それは十代とか二十代前半の人は、可愛い子っていますよ。でも二十五を過ぎたら突然みんなおばさんになっちゃうのは、なぜかと思うんですよ。

大正デモクラシーのころの女性たちというのは、非常に魅力があるし、いい女がいっぱいいたと思うんですよ。例えば青鞜の平塚らいてうとか伊藤野枝とか、有島武郎と心中した『婦人公論』記者の波多野秋子とか、ああいうのはすごいですね。

初出＝サンデー毎日１９９０年４月29日号「文珍の美男美女丸かじり」

愛国に愛がない

近隣諸国と仲よくする。少なくとも戦争はしないという合意を取りつける。それがいちばんの安全保障。なのに、韓国、中国に負けるな、やっつけろ。軍備を強固にしろ、核を持てなんていう人もいます。国家が強くなったら自分まで強くなれたような錯覚を持つ。反対ですよ。国家が強く大きくなるほど、反対にひとりひとりは弱くなる。

強い日本、強い憲法を作ろう、軍備を増強しろという男性は、自分たちのテリトリーに踏み込まれるのが怖い。女性に対してもそうです。企業でも政治の世界でも女性がどんどん強くなって、活躍するのを恐れている。昔は親父がしっかりしていて、お母さんはおおらかに支えて、子どもはお父さんの言うことをよく聞いた、それこそが日本の家庭だと言う。復活せよと訴える。女性天皇反対も同じ構図でしょう。

右傾化って、要は男性化なんです。

初出＝週刊女性2017年6月6日号

60年後の謝罪

この国の為に闘う。この国を愛し、この国の為なら死んでもいい。そう思っていた。そんな自分が崇高で、立派で、美しいと、自己陶酔していたのかもしれない。「愛」は人間の中で最も尊いものだ。無償の行為だし。これがあるから人間だとも言える。「愛」は全てが美しい。国への愛、自然への愛、人間への愛…と。

「それで鈴木さんは、逃げた女性を奪い返すんですよね」と北村(肇)さん。「当然でしょう。島だって奪われたら、奪い返すでしょう」と私。「逃げた女は別の男と同棲していた。そこを襲って、男を殴り、女性を連れ去ったんですよね」「だって、それが愛でしょう。下らない男に女性は騙されてるんだから。僕の愛は純粋だし、正しい。だから取り戻しただけです」「でも、相手の男の愛の方が本物で、純粋かもしれませんね」。そんなことはない！　と反駁した。でも今考えると、そうかもしれない。昔は、そんなことを全く考えなかった。愛国心も恋愛も、全て、自分本位で考えていた。それが本当の愛だと思い、それを貫くためならば、何でも許されると思ったのだ。

初出＝鈴木邦男の愛国問答２０１２年11月14日（マガジン９）より

理想の結婚

理想の結婚をしている人はみんな、成功していないように思う。これは僕の体験から学んでの見解だ。学生運動をやっていて、ものすごい美人と恋愛結婚をしたような人は、みんなから妬まれているけれども、なんか成功していない。理想の結婚をして、さらに独身のときよりも能力が上がったり、仕事がよくなっているという人は僕の周りではゼロだ。きっと、あまりにかわいいと、家のなかで「かわいい、かわいい」と言って抱きしめて、それで終わってしまうのだろう。家庭がすべてになってしまうのだ。

子供がいない人の方が切羽詰まっているから、自分が生きている間にやれるだけのことをやろうと思って仕事に迫力があるんじゃないか、と勝手に思っている。子供ができた段階で、自分のことを継いでくれるんじゃないかとか、あるいは自分以上のことをしてくれるんじゃないか、というふうに逃げ場ができる。

初出＝『これからどこへ向かうのか』（２０１６年、柏艪舎）

姉の思い出

「それにしても変だよ。この写真」と言われた。いろんな人に言われた。60年前の例の写真だ。僕は秋田市立保戸野小学校の3年生だった。桜組だ。その時の遠足の写真だ。何と、姉が付いてきている。一緒に写真に収まっている。

秋田で講演会に呼ばれ、その前に、小学校の同級生3人に会った。60年ぶりだ。3人とも僕のことはあまり印象にないという。今、何をしてるかも知らないようだ。ただ、「おとなしくて、弱々しくて、目立たない子供だった」という。それに、「遠足の時、姉ちゃんが付いてきてた。それで皆、覚えている」と言う。そんなはずはない、と言ったら、敬三君が「証拠」の写真を見せてくれた。

60年前の写真だ。よく持っていた。確かに姉がいる。本当だ。それだけ、この弱々しい弟のことが心配だったんだろう。でも、この写真を見て、ホッとしたことがある。母親が5人ほど写っている。何だ、俺だけじゃない。他にも、「付きそい」がいるじゃないか。

「でも姉ちゃんが付きそいなんて、お前だけだよ」と敬三君。そうか。この時、僕は8才。姉は12才上だから20才か。仕事はサボって来たのだろうか。勤めてなかったのか。まだ遊びたい盛りだろうに、頼りない弟が心配で遠足に付いてくる。申し訳ないと思った。「そんなに弟がかわいかったのかな？」「ただ、心配でたまらなかっただけじゃない」と同級生3人は話し合っている。

他のお母さん5人は皆、年とっている。皆、着物を着ている。中には、お婆さんもいる。「いや、お母さんだよ。当時は子供が多かったから、最後の子供だと、この位の年になるんだよ」。そうなのか。その中で、担任の鎌田先生と僕の姉だけが異常に若い。そして洋服だ。

会った同級生は1年から6年まで同じクラスだという。桜組だ。当時は遠足に母親が付いてくる、というのはあったようだ。「子供が心配で…」というよりは、自分も楽しもうという魂胆のようだ。昔の人たち（大正生まれ）だから、遠足に行ったこともないし、遊んだこともないのだろう。だから、付きそいという名目で、本人たちが楽しんでいたんだ。「でも、若い姉ちゃんが一緒というのはないよ。6年間にお前だけだ。保戸野小学校130年の歴史の中でも、お前だけだ」と敬三君が言う。

そうか。〈歴史的事件〉だったのか。「姉ちゃんはクニオのこと、そんなに可愛がってたの？」と聞く。そういわれれば、よく面倒を見てくれた。映画に連れて行ってくれた。生まれて初めて見た映画が美空ひばりの出てる映画だった。ひばりも子役だ。それに姉はお琴を習っていた。「クニオ君もやってみる？」と言って、教えてくれた。

「サクラ、サクラ」を弾けるようになった。2歳下に弟がいたが、いつも僕だけを可愛がってくれた。

小学校5年の時に、姉は結婚し、函館に行った。でも、子供を連れて、よく家に帰って来た。僕が高校になると、「クニオ君は早稲田に入るべきよ。反逆心のある人にはピッタリよ」と言う。それで、早稲田を目指して勉強した。

ところが、卒業間際に教師を殴って、退学になる。その時、姉は函館から飛んできた。「もう、どうなってもいい」と、すねている僕を必死になぐさめ、説得してくれた。「ヤケを起しちゃダメ！　クニオ君はこの日本に必要な人になるのよ。だから、ここは我慢して！」と言う。そして姉に連れられて、学校の先生たちに謝りに行き、教会に通って懺悔の日々を送った。毎日、毎日、通った。姉が無理矢理、僕を連れて行ったのだ。何日も、何カ月も。半年位、通ったんじゃないだろうか。その間、姉は自分の家をほっぽり出して仙台に来ていたのだ。姉の家には旦那さんと息子が二人いる。それなのに、そっちを放り出し、頼りない弟のために全力を尽くしてくれたんだ。

その甲斐あって、半年後に、復学が認められ、たった一人の卒業式だ。「じゃ、家に来て、東京の予備校に通いなさい」と姉。そうだ。この時、姉は函館から東京に移っていた。旦那さんの転勤で。姉の家の一室に住んで勉強し、早稲田予備校に通い、翌年、早稲田に合格した。こう考えると、全て、姉のおかげだ。予備校に入学する時も姉は付いてきたようだ。

そんな話を、同級生3人にした。とても弟思いの姉だ。そのおかげで今の僕がある。「でも、それって、ちょっと異常じゃない？」と3人は言う。「弟を心配する姉」の気持ちを、はるかに超えてるという。兄弟姉妹は、もっとカラッとしている。喧嘩したり、仲よくなったり。「でも、クニオの姉ちゃんは度を越してるよ。お姉さんというよりは、まるでお母さんのようだな」と言う。エッ！　と思った。確かに変だ。まるで母親が子供を可愛がり、心配するような愛情だ。

「本当は、お母さんだったんじゃないの？」と言う人もいる。馬鹿な！　と笑ったが、「ギクッ」とした。「昔は、結婚前に子供が出来ちゃって、仕方なくお母さんの子供にしてもらった、という話があるじゃない。それじゃないの？」「馬鹿な、馬鹿な。そんなのは小説の世界だよ。それに、姉は真面目だったし、男と付き合ったりしてないよ」「それはクニオが知らないとこでやってたんだよ」

そうだ。年齢がある。姉は12才上だ。12才で子供を産めるはずはない。これが決定的な証拠だ。「でも、役所に行って戸籍謄本を調べたの？　本当は17才位上なんだよ。後でクニオが疑問に思わないように、12才上だと教えこんだんだよ」

面白いね、その話。宮部みゆきの推理小説みたいだな、と大笑いになった。「当時は、きっとそんな姉と弟も一杯、いたんだろうな」と言って、楽しく酒を飲んだ。そして別れた。

でも、別れてから、かえって心配になった。動揺した。「もしかして、お母さんだったんじゃないの？」と言われた冗談が、心に突き刺さっていた。「そうだったら面白いな」「小説になるな」と笑い飛ばしながら、でも、〈あの事〉を思い出していたんだ。それで、ギクッとしたんだ。

小学2、3年は秋田にいて、4年から中学2年までは秋田県湯沢市にいた。父親の転勤で、東北地方を転々としたのだ。小学校6年生の夏だったと思う。赤ん坊を連れて姉は湯沢に来ていた。皆の前でも赤ん坊にお乳を与えている。遠足に付いてきた時は、あんなに清楚な姉だったのに。

用事があって部屋に入ったら、姉が赤ん坊にお乳をやっている。あわてて閉めようとしたら、「クニオ君も飲む？」と言って、もう一つのオッパイを持ち上げた。な、なにを言うんだ、と顔を真っ赤にして、僕は逃げだした。

変だよ、この姉は。と思った。姉のオッパイを飲む弟なんて、いるもんか。それに万が一、赤ん坊と二人で一緒に飲んでいて、そこに母が来たら、何と思うだろうか。

いやらしい姉弟だと思うだろう。水をかけられるかもしれない。

でも姉は何故あんなことを言ったんだろう。そして、秋田での同級生の言葉を思い出したんだ。もしかして…。顔を真っ赤にして逃げ出した時、姉は怪訝そうな顔をしていた。「どうしたの？　赤ちゃんの時はあんなに飲んでたのに」とでも言いたそうに。あるいは…。だから、あんなに僕に優しかったのか。姉だと思っていた人が母だった。そして母だと思っていた人は、おばあさんだった。ウーン、ますます謎が深まった秋田行きだった。

でも一つだけ確実に言えることは、この姉がいて僕がいる、ということだ。母のように愛してくれた姉が今の僕を作ってくれた。単純なようで複雑で、でも単純で。よく考えているようで、でも、すぐ行動してしまう。それは姉の性格であり、僕の性格だ。僕は姉によって作られたのだ。

鈴木邦男の愛国問答２０１２年11月28日（マガジン９）より

2

対話篇

女子に学べ！

対話 No.1

望月衣塑子
（東京新聞社会部記者）

もちづき・いそこ　１９７５年、東京都生まれ。慶應義塾大学法学部卒業後、東京新聞に入社。千葉、横浜、埼玉の各県警、東京地検特捜部などで事件を中心に取材する。２００４年、日本歯科医師連盟のヤミ献金疑惑の一連の事実をスクープし、自民党と医療業界の利権構造の闇を暴く。また09年には足利事件の再審開始決定をスクープする。東京地裁・高裁での裁判担当、経済部記者などを経て、社会部遊軍記者。防衛省の武器輸出政策、軍学共同などをメインに取材。17年12月、平和・協同ジャーナリスト基金賞奨励賞を受賞。近著に『「安倍晋三」大研究』（ぼうごなつこと共著）、『同調圧力』（前川喜平他と共著）。

写真＝初沢亜利

新聞記者の仕事にどう命を懸けるか

小柄な人が入ってきたなと思ったら、望月さんだった。うーん、この体躯で、菅官房長官に10分以上一人で質問し続けたのか。「でも声は大きいんで、おまえとは内緒話はできないと言われます」とご本人。その後も彼女は、追及の手を休めることなく、聞きたいことは質問する態度を貫いている。鈴木さんに対しても、のっけから赤報隊関連で直球を投げ込んだ。

〈2018年1月29日〉

赤報隊化する日本

望月 1月末に放送されたNHKスペシャル「未解決事件」File6〈赤報隊事件〉、見ました。番組の中で犯人から連絡があったとおっしゃってましたが、犯人をご存知なんですか？

鈴木 僕の所に電話してきたのは、実行犯だと思いますね。

望月 その根拠は何ですか？

鈴木 実は、〝俺が犯人だ〟とか〝犯人を知っている〟という類の電話は、よくかかってくるんです。ただ、そのうち1件だけは、口調とかが堂々としていて、卑屈なところがない。そして、これは後からわかったことですが、そのときその男がしゃべった次の犯行予告が、ことごとく実際に起きたんです。

望月　でも警察は容疑者6000人の中から右翼9人を絞り込んで、そのトップが鈴木さんだと。

鈴木　右翼だったら名乗って手柄にしないと意味がない。だから、右翼じゃないと思いますよ。ただ、人を殺してるから、死刑の可能性もあるので、名乗らないのかもしれない。

望月　当時の右翼の方でも、それを覚悟で名乗るという人は、さすがにいないでしょうか。

鈴木　ええ。今は、ネトウヨの連中のデモでは「赤報隊万歳」とか言ってますが。

望月　ああ、言ってますね。「朝日新聞皆殺し」とか。

鈴木　ろくでもないやつですね。

望月　それはやっぱり安倍政権になったということが大きいですか？

鈴木　いや日本人全体の問題でしょう。憲法改正しろとか、「反日」とか、みんな赤報隊が言ってたこと。「赤報隊化する日本」だな(笑)。(編注＝鈴木邦男さんの著書に『連合赤軍化する日本』がある)

望月　当時の空気感と今の空気感は似ている感じはしますか？

鈴木　反日だから「殺せ」って言ったのは赤報隊が最初ですよ。そこから、いろいろ生まれてきた。反日ということで、人間の全てを否定する。

編集部　流行語大賞だって、「審査員が反日だ」なんて言われたりします。

人権を尊重しろという改憲論議がない

望月　鈴木さん、「生長の家」にいらしたんですね。「生長の家」というと、稲田（朋美＝元防衛大臣）さんの名前も出てくるんですが――

鈴木　僕は今でも「生長の家」は信じていますよ。

望月　稲田さんと原点は同じだけど、その後の道は違ってきた。

鈴木　安倍総理だって「生長の家」の谷口雅春を信じている。自民党の政治家でも、そういう人はいっぱいいるんですよ。やっぱり統一教会なんかとは違うという安心感があったんです。だから日本会議でも受け入れられている。

望月　それが今、いいように利用されているというふうに考えますか。

鈴木　それもあるだろうし、また、彼ら自身もやっぱりそれをうまく使っているということになるでしょうね。

望月 今、小林よしのりさんとか鈴木さんの動きというのは、右の本流を歩いていた人が、気付くとリベラルと一緒になって動いているという……

鈴木 小林さんとは去年10月の総選挙で、新宿駅で立憲民主党が街頭演説をしたとき、2人で応援演説をしました。あの人は、僕知り合ったころは、エイズ裁判に関わって、どちらかというと左翼系だったんですよ。それが一時期、僕を越えて右に行った。

望月 今の安倍政権の反作用でしょうか?

鈴木 時代が右派系になっているとき、さらに右を行くか、あるいはリベラルで対決するしかないいんじゃないですかね。

望月 安倍政権の改憲案についてはどういうふうに見てるんですか。

鈴木 改憲反対です。

望月 9条もそのままで?

鈴木 ええ、そのほうがいいと思います。だって、危ないですよ。僕らも学生時代は、憲法が諸悪の根源で、憲法さえ変えれば世の中は良くなるって主張してましたけど、政治運動はそういうものなんです。問題を一つに絞る。でも、そうじゃないだろうな、とだんだん思ってきた。それに憲法改正論議の中に、さらに人権問題を強調しようという人は誰もいない。国家の力を強くしろ、北朝鮮許すな、核武装しろ、徴兵しろ、みたいな方向ばかり。人間の自由とか平等がないがしろにされそうで危ないですよ。

これこそが新聞記者なんだ！

鈴木　望月さんの『新聞記者』（角川新書）を読んだら、イメージが変わりました。今までのいろんな新書の中でも最高の本でしたね。

望月　ありがとうございます。

鈴木　最初、『新聞記者』ってタイトルがいいかげんだなと思ってたんです。『なぜ質問し続けるのか』というふうなほうがいいんじゃないかなと。でも、読んだら編集者の意図がわかりました。「これが新聞記者像なんだ！」という挑発的な考えがあったんじゃないですか。それに新聞記者というだけじゃなくて、どういうふうに自分の仕事に命を懸けるか、さらには自分の生き方、恋愛、子育て……いわば人間はどう生きるかというものを書いてるでしょう。だからすごいなと。『人間』というタイトルでも良かったですね。

望月　官邸の番記者さんたちも、オフレコでの囲みのとき菅さんに「彼女は活動家ですからしょうがありません」とか言ってたらしいんですけど、この本に「読売新聞に行きたかった」とか、ノンポリだったと書いてあるので、認識を改めてくれたかもしれません。

鈴木 会見場の雰囲気が変わったんですか？

望月 いや、そこまでは。それまでは菅さんの会見は、ホワイトハウスの国務省のやり方にならって、手が挙がってる限り指し続けてたんですね。それが私が手を挙げているのに、内閣官房の報道室長が「終わります」って会見を打ち切ってしまう事態も起きてます。もう6代の官房長官会見を見続けてきた他社の記者の方も、初めての経験だ、ショックだとおっしゃってました。番記者の方たちにしてみると、望月が菅さんの気分を害してるけど、毎朝、朝駆けで不機嫌な彼を相手にしなきゃいけないのは自分たちだという気持ちもあるんだと思うんですね。何か情報を取りたくても出てこなくなると。

鈴木 それで、会見に出るなとか、内閣記者クラブから除名だというような圧力はないんですか？

望月 政治部の領域に社会部の記者が土足で踏み込んでるという状況ですが、昨年、記者クラブの総意として質問の長さや時間について「クラブの懸念」が示されたことがありましたが、何社かの記者さんが、いやあ、ああいう質問の仕方は、私たちはしないけど、でもやっぱり質問自体に記者クラブが抑制をかけるのはよくないという結論だったようです。
うちの社も、望月がこのペースでやると除名だとかって騒がれるかもしれないけど、でも、質問し続けさせよう、やれるところまでやってみようと、幹部がみんなで話し合ったと聞いています。その後はしかし「質問が長い」という苦情が続いたので、そこはいま極力短くなるように努力して聞いています。

鈴木 それは望月さん一人で全部変えたんだ。

望月 変えたというか、うちは逆に東京新聞だからゲリラ的なものをちょっと許してもらえているのかなとか思いますね。菅さんの秘書官らから嫌みも言われるだろうし、迷惑をかけているのに政治部の懐の深さには感謝しています。

鈴木 菅さんとエレベーターでばったりとか、そういうことはないんですか？

望月 それはないですね。基本、官邸へ行って車移動ですよね、あの方は。

鈴木 菅さんから、この『新聞記者』を読んだよという話もないんですか？

望月 ありませんね。

産経を読んでいてもリベラルに

鈴木　僕はね、1970年に産経新聞に入ったんですよ。鹿内信隆さんが社長だった。新入社員を集めて、うちは右派的な新聞だと思われているけども、そんなことはない。むしろ朝日は学生運動をやった人を取らないけど、うちは取る。取って直してやるんだ、と言ってましたね。だから産経は右づいているというけど、やっぱりそれは売るためでしょう。

読売と同じだったら負けちゃうと。僕は今でも産経新聞取ってますよ。40年以上、産経新聞しか読んでない。

望月　えっ、じゃあ、立ち位置が変わるということと新聞との連動性はないんですか？

鈴木　情報によって人間が変わるなんて、あまりないと思います。だから産経新聞を読んでいても、私のようにリベラルになるんです。朝日を読んでいても反動的な人間もいるんじゃないですか。産経新聞が創刊80周年の事業として改憲案を作ったんですが、その前文で「道義国家日本を目指す」と書いてありました。国家がそんなこと決めるんだったら、共産主義や社会主義は批判できないですね。そこで僕はちょっと不信感を持った……。

検察の聴取ってこんなにきついんだ

鈴木 不信感と言えば、望月さんが埼玉支局時代に、日本歯科医師連盟の裏献金すっぱ抜き問題で検察庁から呼び出しがあったときに、他の新聞社だったら、記者を出さないで社として対応するのに、東京新聞は「おまえ、行って来い」と言われたそうですが、ちょっと不満はあるんじゃないですか?

望月 行ってこいと言われた瞬間は、「えっ、行かせるんだ?!」と。現場の記者をそんな取り調べの場に出すなんてことは、断固として会社の弁護士が入って拒否するのが普通だと思いました。なのに取り調べの朝8時半にみんなで集合して、顧問弁護士に紙を渡された。何が書いてあるかというと、公務員暴行陵虐罪の説明。取り調べ中に相手が誹謗中傷みたいなことをしたら「あなたをこの暴行陵虐罪で訴えてやる」と言えばいいと、そういうアドバイスだけで行ってこいという感じでした。

鈴木 弁護士が同行するわけじゃないんですか?

望月 ないんです。寒過ぎます、アドバイスが暴行陵虐罪で訴えろと言えだけなんて(笑)。

鈴木 でも、僕はかえって良かったと思いますよ。それだけの体験した人ってあんまりいないじゃないですか。

望月 それは本当にそうですね。検察の聴取ってこんなにきついんだなと。だって、豹変するんですよ、検事の態度が。休憩1時間挟んだら、いきなり顔色が変わって「君は一つ大きなうそをついていますね」とか言われて。私の他に東京新聞から2人、取り調べを受けていたんですが、その方たちが何か不利になるようなことを言ったのかと疑心暗鬼になったりして。実際は、私以外はゆるゆる(と言ってはなんですが)だったらしいんです。私から、裏献金リストをどこから入手したのか、つまり裏切り者は誰だったのかを知りたかったんですね。

鈴木 他の記者をわざわざ呼ぶ必要がなかったんでしょ?

望月 一応、名誉毀損で編集局長を訴えて、現場の記者3人を呼び出すみたいな手順だったようですね。

鈴木 今、新聞記者だって、そういうふうに動揺するんだから、一般の何も知らない人が捕まえられたら、それは怖いでしょうね。

望月 怖いと思いますね。

鈴木 元兵庫県警警部の飛松五男さんと話をしたら、どんな人間でも僕は有罪にできますと言ってましたね。ああ、すごいなと思った。

望月 いかようにも持っていけるということですか。

鈴木　ええ。じゃあ可視化したらいいのかと聞くと違うと。自白する人は、みんなわーっと涙流しながらやるんですって。本当に自分がやったわけじゃないのに、感極まって。そういうのを見たら、普通の人は、ああ、これは本当に悪いと思って認めたなと、思っちゃうと。かえって、その悪影響を受けると言ってましたね。

望月　可視化になったほうが有利という話ですね。

鈴木　あなたの『武器輸出と日本企業』(角川新書)を読むと、何かまるで推理小説みたいなところがあって、すごいなと思って。何でも書けますよ、あなたは(笑)。

望月　いや、そんなことはない(笑)。

鈴木　それで思ったのは、日本の冤罪事件だとか公安事件だとかも書けるんじゃないですか。期待してますよ。自分で取り調べられた経験もあるんだから。だから検事になる人なんかも、実際に取り調べられるとかの体験をすべきだと思うんです。あるいは朝起こされてガサイレされるとか、10日間勾留されるとか。そうしたら人間はどう変わるかわかりますよ。それがわからないから、検事は、こいつは自白してるんだから有罪だと思い込むんですよ。

批判も増えたが発信力も増した

鈴木　望月さん自身が、ある意味ジャーナリズムで評価の対象になると、仕事がやりづらいのではないですか？

望月　本当はなるべく表に出ないで取材するのが新聞記者ですが、今の事態は、思わずなってしまったことで、しょうがない部分はありますね。菅さんにあれだけ質問をぶつけるんだから、質問自体に批判が集まったり、それを持ち上げてくれる人もいたり。私がツイッターで、いいと思っている学者のコメントを引用すると、より拡散することもあって、批判もされるけど、発信もできるようになったなと思います。

鈴木　例えば菅さんとのやり取りのあと、産経新聞が望月さんを批判する記事を書いたでしょう、「一人で質問を繰り出して、それも野党議員のような質問で、記者会見を荒らしてる」というような。ああいう後は、バッシングとか、あるいは身の危険はないんですか、脅かすわけじゃないけど（笑）。

望月　会社あてに抗議が一時期は来てました。「菅さんにあんな質問ばかりして、どういうつもりだ！」「望月を出せ！」みたいなのが。それは会社がシャターアウトしてくれていましたが。

鈴木 そういえばＴＢＳの「報道特集」のＭＣをしている金平茂紀さんが「望月さんには公安が必ずついている」って言ってましたけど。
望月 検事さん、元特捜部副部長の粂原研二弁護士が、そう言ってたんです。
鈴木 それはプレッシャーですか？
望月 尾行はわかるようにはついて来ませんが、むしろ「公安があなたの周りを探っているから気をつけろ」という話が、人づてに来るようになりました。それ自体が、無言の圧力なんでしょうね。
鈴木 文春も狙ってるでしょう？
望月 品行方正にしてますから（笑）。

伊藤詩織さんの事件における忖度

鈴木 伊藤詩織さんの事件で、検察審査会はどうして山口敬之に「不起訴相当」という判断を出したんだろう？
望月 彼が対象になった準強姦罪というのは、構成要件が酩酊状態なんです。酩酊状態の中で性的暴行を受けたということが立証できないといけない。第三者の証言とか、動画があるとか、立証のハードルが高いんです。彼女も、酩酊状態を証明するため血液の検査を受けようと准看護師の友達に2日後に相談したんですが、たとえデートレイプドラッグをもられたとしても2日たっちゃうとまず消えるから、やっても無理だよ、と言われたんです。

で、4月3日に事件が起きて、4月9日に高輪署に被害届を出そうとしたんだけど、そのとき元記者はまだTBSのワシントン支局長でしたから、警察も「メディアの大幹部だから」と、被害届を受理しなかったんです。でも元記者は会社に断りなく、実名で週刊文春に記事（ベトナムにも韓国軍の慰安所があった……）を書いたことがTBS内で問題視されて、国内に戻されるということがわかって、やっと4月30日に高輪署で被害届が受理された。その後、ご存知でしょうが、警察が空港で元記者を逮捕しようとした直前に、中村格警視庁刑事部長（当時）からストップがかかるという経緯になるわけです。

なぜ逮捕を差し止めたかについて、私の批判には「自分は元記者が安倍総理に食い込んでいるかどうかなぞ知らなかった。ただ、警視庁記者クラブに所属しているメディアの記者だから、もし不起訴になったら報道の自由への侵害とか騒がれるから慎重にやれ、任意で話を聞いた上で判断してもいい」という趣旨のことを言っていると聞きました。

これはもしも一般人だったら逮捕を認めた、ということを認めているようなものです。記者クラブ所属のメディア記者だから、慎重にということが許されるのか。去年、性犯罪被害者の気持ちによりそった捜査をしていくという国会の議決とも矛盾する判断だったと思っています。

鈴木 「忖度」は2017年の流行語大賞ですね。「現代用語の基礎知識」が決めている。

望月 そうでしたね。

鈴木 事件はその後どうなってるんですか？

望月 詩織さんは民事訴訟で元記者を訴えて争っています。問題とされた日のタクシーを降りて、詩織さんがホテルに元記者と入るまでの動画などが裁判でどう判断されるかなどが焦点となるようです。元記者はＴＢＳを依願退職していますが、ＴＢＳはこの件で元記者を処分せずでした。そもそも、事件になるかならないかということでなく、就職話しを口実に人事権をもった人間が、相手を酔わせて性行為に及ぶということ自体がもっと問題視されなければいけなかったのではないかと感じます。

対話 No.2

溝口紀子

（柔道家／スポーツ社会学者）

みぞぐち・のりこ　1971年、静岡生まれ。92年のバルセロナオリンピック52kg級で銀メダルを獲得。日本人女性で初めてフランス代表チームのコーチを務める。その後、静岡文化芸術大学教授、静岡県教育委員会委員長等を歴任。2017年には静岡県知事選に立候補（自民党推薦）するも現職に敗れる。著作として、13年、女子柔道の問題点を歴史的に掘り下げた『性と柔』を上梓（編集担当はその後のライター武田砂鉄）。15年には『日本の柔道　フランスのJUDO』も著した。18年より日本女子体育大学（体育学部動科学科スポーツ科学専攻）教授。

〝闇の歴史〟を体系化して書いた『性と柔』

オリンピック選手の登場だ！　１９９２年のバルセロナオリンピック、女子柔道52キロ級で銀メダルに輝いた溝口紀子選手。彼女はいま、スポーツ社会学者に華麗に変身し、しかも昨年11月には著書をものにした。デビュー作、『性と柔』（河出書房新社）である。何を隠そう、鈴木邦男さんは講道館三段の腕前。互いにがっちり組み合っての好勝負となった。

〈２０１４年３月20日〉

私は永遠の52キロ

溝口　柔道の場合、嫌なのは永久にその体重なんですよ。私だったらバルセロナオリンピックのときが52キロ級出場ですから、皆さんにその印象が深く刻まれている。だから、会った人がみんな、私の肩幅とか見てビックリするんです。あのときは、絞りに絞っての52キロなんですよ。

鈴木　逆のケースもあるんですか。

溝口　あります。激ヤセするタイプの人が。筋肉が落ちちゃうんです。

鈴木　上のクラスにするなんてことがあるんですか。

溝口　ありますよ、ライバルが同じクラスにいるとか。柔道のタイプにもよりますね。私は下のほうがいいんです。奥襟をもって大外刈りとか内股とか、足技系なので。

鈴木　（編集子を指して）ちょっと投げてみてください。

――鈴木さんこそ、講道館で柔道やってるんですから、投げてもらったら。

溝口　大道場でやってるんですか。

鈴木　はい、50歳すぎてから始めました。

溝口　スゴイですね。どうして始められたんですか。

鈴木　ずっと合気道をやってまして、サンボもロシアに習いに行ったりしてるんですが、やはり組み技の基本は柔道だなと。

溝口　アイキ（合気道）は古流の柔道の当て身の部分を進化させたものですね。

鈴木　世界選手権とか行くと、サンボ出身とかアマレス出身の選手がたくさんいますね。そういう競技の研究もするんですか。

溝口　ええ、ソウルオリンピックが齋藤仁さんの金メダル一個に終わって、あのころから、他の格闘技の影響を受けた技も出てきたんです。例えばアマレスみたいに足を取りにいくとか。いま、これは反則になったんですが。それでレスリングと合同で稽古もやることになりました。私も、山本美憂さんと講道館で一緒にやりました。

鈴木　それは柔道のルールで？

溝口　ええ。山本さんて本当に綺麗なんですよ。だから綺麗なうえに、柔道まで負けたら悔しいなという女のジェラシーで、ボコボコに投げてしまいましたけど（笑）。オリンピックのあと、女子レスに誘われましたよ。私は寝技が強かったんで。

鈴木　神取（忍）さんとか藪下（めぐみ）さんはプロレスに行きましたね。神取さんの言葉で忘れられないのは、自分のことを「練習嫌いで研究熱心」と言っていました。

溝口　ご本人は照れてらっしゃるんですけど、合理的なんです。あの時代に課された練習量は半端じゃない。これ、意味がないんじゃないかな、というのはあったんです。神取さんみたいなクレバーな方は、それをいかに合理的にやるかを考えた。練習量が増えると、ケガも増えますから、いい意味でいかに（力を）抜くか。田村（谷亮子）さんもそうですよ。わからないように、抜く。そういう防衛本能は大事だと思います。

柔道界で「段」が必要な理由とは

鈴木　溝口さんは、体罰とか怒鳴られたりはないんですね。

溝口　怒鳴られるのはありますよ。「ブス！　ブタ！」って言われたり。

鈴木　そんなこと言うの⁉
溝口　体重52キロの選手で、58とかになるとブタなんです。節制できてないことへの戒めでもあるんですけど。あとは国際試合で負けると「強化費泥棒！」とか。でも、この前、自分たちが本当の意味で強化費泥棒だったと暴露されたというオチが……。
鈴木　いやぁ、笑えない（笑）。ブスとかブタは、普通の会社だったら、セクハラ、パワハラで問題になりますよ。
溝口　麻痺してますね、完全に。よく体育会系の出身者は耐性に優れていると言いますが、実は思考回路が切断されているだけ。中にいるとそれに気付けない。
結局、男のムラ社会なんです。男の人たちって、沽券で生きてる。だからヒエラルキーがないと、喧嘩しちゃう。それぞれ縄張り意識が強くて。柔道界は、道場も自由に替えられないんですよ。そういう社会だからこそ、「段」というピラミッドのヒエラルキーを作って、命令系統をはっきりさせないと、やっていけない。

白線入りの黒帯が象徴するものとは

鈴木　そういう男社会の中で、女子柔道に関わるのは大変だったでしょ。

溝口　最初は地方の柔道で始めましたから。この本（『性と柔』）でも書いたんですが、講道館と地方の柔道は全く違っていて。講道館を始めた嘉納治五郎にとっては、女性の柔道は上流階級のご令嬢のための、良妻賢母教育の一環なんです。ですから、お作法としてやる。試合がなくて、形が中心になる。一方、地方の柔道は、女相撲にみられるようにジェンダーフリー。男女の試合もあったし、武徳会という講道館と二大勢力だった別の組織が、女性にも段を与えていた。そういう〝闇の歴史〟を体系化したのが、この本だったんです。

鈴木　柔道をやってる私でも、初めて知ったことがたくさんあって、面白かったです。

溝口　ありがとうございます。私が柔道を始めた福柔会（静岡県）は、退役軍人の方が開いた道場です。対外試合の団体戦では5人中、3人が女子で、私がポイントゲッターでした（笑）。小学生のころだと、体格も男子に負けないし。

14歳のときに、全日本の大会に出ることになって、（私に）黒帯与えようということになったんです。誰も私とやりたがらないほど実力は十分だから、大会に出ていないとかの規定をすっ飛ばして、特別推薦で黒帯をもらった。でも、その黒帯が白線入りだったんです。男の子がもらう普通の黒帯じゃない。これが私が初めて感じた矛盾なんです。「男の子より強いし、結果も出しているのに、なんで違う扱いなんだ」と。

鈴木　なるほど。それ（白線入り黒帯）はいつごろからですか。

溝口　講道館が始めたんです。武徳会では男女とも、普通の黒帯だった。だから戦前は、ダブルスタンダードだったんです。講道館八段、武徳会五段とか。武徳会のトップが東条英機だったりしたこともあって、戦後にＧＨＱに解散させられて、それ以来、講道館の段位が使われてきたんです。

鈴木　いまも白線黒帯はあるんですか。

溝口　はい。それもダブルスタンダードで、国際柔道連盟では、男女差別だからと白線黒帯は禁止なんですが、国内ルールでやる全日本選手権は白線黒帯なんです。一方、国際ルールの全日本選抜選手権は普通の黒帯なんです。

鈴木　カラー柔道着と似てますね、国際大会では使ってるのに、日本では使ってない。

溝口　それは鈴木さんが講道館しか知らないからです。ほかの道場だと、カラー柔道着を使っています。それがフランス人にはショックみたいで、日本はあれだけカラー柔道着に反対したのに、先生まで青いのを着ているってビックリする。

鈴木　白線を入れるのは嘉納先生の考え？

溝口　はっきりした文献はないんですが、女子柔道は男子柔道とは違うものという考えは持っていました。試合のない柔道に古武術の柔道の良さを見出していたようです。「女子柔道こそ柔道の良さ」という言葉を残しています。講道館の柔道で、一緒に練習するときに、試合をやらない女子が同じ帯を締めていると間違えるので、保護するために白線を入れたという説もある。一方で、女子柔道を半人前にしか見ていないことの表れともいわれている。それに対する問題意識というのは、私ぐらいしか持ってないかもしれませんが。「リボンみたいでかわいいじゃん」という人も多いんです。

鈴木 なるほど（笑）

溝口 歴史的な経緯も考えないといけないと思うんです。戦後の武徳会に対する正当性の確立の中で、女子柔道の神話づくりがあり、それが白線に残っているんじゃないかと、そんな気がします。

官能小説と間違われるからカバーを隠して読む？

鈴木 この本はタイトルがドギツいですね。

溝口 ワイセツですよね（笑）。最初聞いたとき、のけぞりましたよ！

鈴木 誰が考えたの。

溝口 武田さんですよ、この人は（と同席していた河出書房新社の担当編集者を指す）天才ですよ。柔道関係者は「内容と違うじゃないか、ある意味、期待外れだ」って。どういう期待してたのか（笑）。官能小説と間違えられるからって、カバーを隠して読んでる人がいたり（笑）。このタイトルの性は「ジェンダー」ですよ。

鈴木　なるほど(笑)。でも、講道館が日本の柔道になっていく過程とか、全く知らなかったから、とても面白かったです。元々こういうことに関心があったんですか。それとも大学の先生として、研究対象に選んだんですか。

溝口　私も柔道イコール講道館柔道と思っていたんですが、フランスに行ったとき、彼らが知っている柔道の歴史と全く違うんですよ。「あなたは武徳会なのか講道館なのか？」って聞かれて、「なんですかブトクカイって？」。それで、本とか調べても、あまり書かれていない。フランスじゃよく知られているのに。それがきっかけで、歴史を整理する必要があるんじゃないかなと、ずっと思ってたんです。で、フランスのナショナルチームの仕事が終わったときに、ロシアやギリシャからオファーがあったので、このまま海外でコーチ生活をしようかなとも考えたんです。ただ、海外コーチは私でなくてもできるけど、内部の人間で、海外の文献も見て、この歴史を調べられるのは私しかいないだろう、と思ったんです。ちょうど出産も迎え、それで日本の大学に戻りました。

鈴木　それで、とっかかりはどういうところから？

溝口　それが……武徳会というのは、今でこそ私がギャンギャン言ってますが、講道館以外に大きな組織があって、段位を発行していたというのは、日本柔道界の中でタブーなんです。

鈴木　資料はあったんですか。

溝口　海外にありました。あとは武徳会の雑誌を古書で買った。そういう作業から入って、関わっていた方やその息子さんからも資料提供やご協力を得て（と熱弁は続くが、詳しくは著書を参考のこと）。

男のムラ社会が生んだ内柴問題

鈴木　現役を退いて、大学で教えてる方はいらっしゃるんですか？

溝口　私の場合は、引退後すぐ県立短大で、大学に柔道部もなく、純粋に体育の助手として入ったんです。山口（香）さんもそうだと思います。男性の場合は、柔道の指導者として大学に入るんですが。

鈴木　格闘技で頂点を極めた人のその後は、どうしても古巣のコーチになりますね。

溝口　だからこそ、男のムラ社会が必要なんです。ただ、それも最近はだんだん厳しい環境になって、ポストがなくなってくる。だから、プロレスとか格闘技の世界に飛び出すんです。フランスの場合は、セカンドキャリアのためにバカロレア（大学入学資格）を必ず取りますね。指導者になる人は、柔道指導者の国家資格を取ります。金メダルを得たから指導者になれるというのはありません。むしろ、その他のことにも進めるように、カリキュラムがちゃんと作られています。日本はその辺が遅れているから、スポーツバカが生まれやすくて、連盟にしがみつくしかない。

鈴木 うーん。

溝口 山口さんや私は、もう一回、ゼロからキャリアを積むしかなかったんです。特に私はメダルのインセンティブもないですから。

柔道界では、金メダルしか価値がないんです。銀メダルは「なぜ（決勝で）負けたんだ！」という評価しかない。協会はみんな金メダリストだらけですから。

鈴木 トップになれば、当然、指導者になるという発想があるから、内柴問題も起きたんじゃないですか。

溝口 その通りです。内柴君も「なんで俺だけが」と思ってると思いますよ。彼を弁護するつもりはありませんが、彼のパーソナリティの問題じゃなくて、柔道界全体の文化の問題です。

――ここだけの話ですが、内柴選手に関しては（彼の主張通り）合意の下だったんじゃないかという……。

溝口 合意でも駄目ですよ！

鈴木　そ、そうですね。僕もそう思います。

溝口　合意だからいいという弁明自体が、彼の指導力不足を自明のものにしています。もう、その時点でダメですよ。

鈴木　女子柔道の監督は女性がやればいいんじゃないですか。

溝口　今度は園田問題ですか。実は、女性の監督でも殴る人はいますよ。

鈴木　えっ！

溝口　いっぱいいます。関係ないです。女子の先生でもバンバン殴ります。だから見識のある方にしてほしい。私は、強化委員長を男女別にすべきだと思ってます。でないと、いつまでたっても男性中心の強化方針になってしまいます。

鈴木　柔道は、指導するときでも体が接触するでしょう。

溝口　女子のところに来る男子の先生は、軽量級が多いんです。なぜなら、投げられ役を務めるのも重要な任務なんです。それともう一つ、「有名な先生が投げられてくれる」というのがあるんですよ。そうすると、現役が終わったばかりの若い男の先生というのが望まれる。そういう部分は確かにあるんですが、でも、それだけに頼っているコーチングが問題なんですよ。

もう一つ、恋愛もコーチングだという考え方がある。無意識にセクハラを容認している。それも問題だと思います。

対話 No.3

赤尾由美

（アカオアルミ代表取締役社長）

あかお・ゆみ　１９６５年、東京生まれ。大日本愛国党初代総裁を務めた赤尾敏の姪。明治大学文学部を卒業後、行政書士講師、ジャズダンスのインストラクターなどを経験。父・四郎の死後、アカオアルミグループ（本社東京）の代表に。同社は日本で唯一1円玉を作っている。２０１6年8月、『民進党（笑）。』を上梓。1カ月で3刷と、好評を博している。

貧しい人、困ってる人がいたらほっとけない

〝数寄屋橋と言えば赤尾敏、赤尾敏と言えば数寄屋橋〟という時代があった。東京は銀座の数寄屋橋交差点に差し掛かると、毎日のように共産主義を攻撃しアメリカを称える激烈な演説が聞こえてきた。その大音声の主、大日本愛国党総裁・赤尾敏氏の姪にあたるのがゲストの由美さん。伯父の血は色濃く流れ、彼女も右派の論客として、「朝まで生テレビ」に登場したことも。声が大きく、カラカラとよく笑うことも伯父譲り……のようだ。

〈2016年9月28日〉

日本の1円玉はすべてアカオアルミで製造

赤尾 赤尾敏は長男で、私の父は4男。2人は歳が20も離れてる。だから私はよく「(敏の)お孫さんですか?」なんて聞かれますが、伯父・姪の関係なんです。

鈴木 お父さんは、政治運動は?

赤尾 基本的には事業家なんですが、伯父の運動を応援していたようです。

鈴木　どういう事業をしていたんですか？

赤尾　アルミの圧延です。戦争中、伯父は衆議院議員でしたが、私の父は陸軍にいて、東京で終戦を迎えました。戦後、生活のためにスクラップのようなアルミの圧延機を買ったと聞いています。それを今、私が継いでいるわけです。

鈴木　日本の1円玉は、全部、アカオアルミが作ってるんですってね。

赤尾　そうなんです。昭和39年（１９６４）年からずっと。ただうちは、のっぺらぼうの1円玉を入札があったときだけ作っています。

鈴木　1円玉だけ作ってるのかと思ってた。年間で何枚くらい作るんですか。

赤尾　消費税が８％にアップする前は1億枚以上でしたが、基本的にはとても少なく、ゼロの年もあります。でも、設備は置いておかないといけないので大変は大変なんですが、名誉な仕事ですし、うち以外どこも作ってないので「やめまーす」というわけにはいきません（笑）。

「敏さんばかりにお金使って」と母が愚痴っていました

赤尾　敏伯父さんが三宅島で、武者小路実篤先生の理想に共鳴して「新しき村」を開いたときは私の祖父（敏の父）が資金を出したようです。戦後は私の父が伯父の政治活動を陰になり日向になりして助けたようです。伯父の活動資金は、もちろん全国からの浄財も頂いてますけど、かなり父がバックアップしていたようで、母がぽろっと愚痴っていたのは、伯父が参院選とか都知事選とか年中行事のように選挙に出ていたとき、「供託金はうちが出しているのに」って。「伯父さんばっかりにお金を使って！」とかも（笑）。

鈴木 ゴッホとテオみたいな兄弟だ。

赤尾 だから歳は離れていたけど、父のことは立ててくれて、私に「君のお父さんは立派なんだよ」って、何度も言ってくれたんです。私は「伯父さんのほうが有名人じゃない」って思ってましたけど。

鈴木 前に出光石油の創始者の甥の方と対談したんですが、出光佐三は金儲けもたくさんしたけど、社会のためにものすごく金使ったんですって。学生を留学させたり、出光美術館を作ったりとか。でも、そういうこと、今はとてもできないと言ってました。株主が、そんなことに使うんだったら配当しろと言うし。

赤尾 父も多分、自分の個人的な資産から出していたと思います。ただ「愛国新聞」だけは会社の福利厚生費で落としていて、さすがに税務署が来た。そしたら父は目をむいて「これは最高の国民の福利厚生だ！」って（笑）。

鈴木　昔は僕ら学生運動でも、企業は営業社員として雇ったことにして、お金を出してくれたこともありました。

赤尾　今はとてもそんなことはできませんね。下手すりゃパソコンの立ち上げ時間をチェックしますから。

私にはやさしい伯父さんのイメージしかない

鈴木　いつごろから、伯父さんは右翼の運動家だと意識したんですか。

赤尾　「何かやってるな！」とは知ってましたけど（笑）、有名な偉い先生なんだろう、くらいに思ってて、全く恥じる気持ちはなかったですね（笑）。

鈴木　日本の右翼で最も目立ってたから、一水会が街宣してても「あっ、愛国党だ」なんてよく言われましたよ（笑）。

赤尾　カリスマ性はありましたよね。

鈴木　僕らもよく叱られたんですが、真面目な人でしたね。あまり冗談は通じなかった。大川興業の大川総裁から聞いたんですが、あるときみんなで学生服着て、数寄屋橋に行って「フレーフレー赤尾敏！」ってやったんですって。テレビのパフォーマンスで。そしたら赤尾さんが「みなさん見てください、こんな真面目な学生たちがいるんです！」って、涙ぐんだって。

赤尾　アハハハ。ある意味、純粋なところはあるんでしょうね。私にはやさしい伯父さんというイメージしかないんですが、一つ年下の私の妹は伯父が家に来るたびに、ワーッと泣いてたらしいんです。風貌が怖いですからね。そしたらあるとき、敏さんが妹にバナナを買ってきたって（笑）。人にこびへつらうことがなかった伯父が、妹にはバナナでご機嫌を取ろうとしたという（笑）。

鈴木　当時、病気になったときぐらいしかバナナを食べられなかった。

赤尾　伯父のことを語るにあたっては、娘さんで今六十代の敏子さんと時々話すんですが、どういうお父さんだったか聞くと、開口一番「やさしいお父さんだった」。思想信条のこととなると、どこかのスイッチが入ってガーッとなったかもしれませんが、家庭では愛に溢れた人だったようですね。

鈴木　運動してる人はそういう面を知らないから、雲の上の存在で、恐い人と思ってしまう。集会でも、赤尾さんが演説すると、1時間くらい平気でしゃべって、他の人が止められない。

赤尾　いったんスイッチが入ると、お構いなしになる。あと敏子さんがおっしゃっていたのは、直感が強い人だったと。理屈で考えて、こう言ったほうが得だとか、そういう計算は全くなくて、進めと思ったらもうそこへ行く。

ムヒカ大統領に通じる人間に対する優しさがあった

鈴木 ぜひ「赤尾敏論」を書いてもらいたいですね。そういう話がくるでしょう。

赤尾 いま出ている『民進党（笑）。』は発売3日くらいで増刷になって、その後、3刷りの連絡もありました。担当者も喜んで「次は敏さんについてでいきましょう」とか、ええ（笑）。

鈴木 ぜひ。知らない面がいっぱいあると思うんです。特に今の若い人が理解できないのは、最初は「新しい村」みたいに共同体づくりから出発したのに、右翼になった。昔はそういう人も結構いたんですよね、左翼運動とか文学的な運動から出発した人が。理想は同じなんですよ。

赤尾 やさしさが原動力だと思うんですね。貧しい人とか困ってる人がいたら、ほっとけない。なので、共同体とか原始共産制の社会を作ろうと。それが活動の原点です。最近思うのは「世界一貧しい大統領」といわれるウルグアイのムヒカ元大統領に通じるものを感じるんです。あの人も、社会主義的な運動から始めて……。

鈴木 過激な運動、やってましたよね。
赤尾 投獄されたり大変な目にあったと聞きましたけど、今見たら好々爺じゃないですか。ぼろい洋服着て、ぼろい車に乗って。自分のお金には頓着してない。
鈴木 なるほど赤尾さんだ。
赤尾 今の左翼って金持ちでしょ、だからダメなんですよ。伯父は、私服はスーツ1着しかなかった。家に帰るとステテコで過ごす。だから間に着る服がいらない。党本部を兼ねた木造のぼろい家に住んでましたし。
鈴木 僕が訪ねて行ったのは、浅草でした。
赤尾 あっ、もっと古いですね。
鈴木 よく借りられたと思うくらいのボロ家。
赤尾 私は写真でしか見たことがないです。いつごろですか？
鈴木 私が行ったのは、それこそ六〇年安保で山口二矢が浅沼稲次郎刺殺事件を起こした直後くらいです。
赤尾 鈴木さん、そのときは？
鈴木 高校生です。
赤尾 えーっ！
鈴木 あのころの高校生は、全員、赤尾敏を気にしてたんじゃないですか？ どんな男なんだろうって。

たまたま僕は東京に遊びに行ったんで、訪ねてみたんです。その後、地元の仙台に講演に来たんで「党本部に訪ねて行った高校生です」って名乗ったら、覚えていてくれた。それで僕は公安に目を付けられて、今までずっと来てる（笑）。

赤尾 私が生まれたときにはもう大塚でした。やっぱりボロ家で、貧乏生活。でも、ちょっとお金が入ると地元にお金落とさなきゃいけないと、すぐ使っちゃうんですって。だから商店街の人たちは「先生がうちから買い物してくれた」と喜んでらっしゃったとか。

今で言うとマック赤坂のポジション

鈴木 あなた自身は、赤尾敏の姪ということで、いじめはなかったの。

赤尾 私、ボヤッとしてたので……。中学のときに社会の先生にたまたま「私の伯父さんは赤尾敏というんですよ、知ってますか？」って聞いたら、その先生、日教組のど真ん中だと思うんですが、顔色がサーッと変わって（爆笑）。そのとき、生まれて初めて、言っちゃいけないのかな、と（笑）。

ただ、私が知っているのは晩年ですから。そのころはもう、今で言うとマック赤坂みたいなポジションです。毎回、選挙に出ている面白いオジサン（笑）。

鈴木　アハハハハハ、ひどいなぁ！

赤尾　マックさんのポリシーは好きですよ。

鈴木　でも、マック赤坂は頭いいんだよね、京都大学を出て、伊藤忠に行って……。

赤尾　それでレアメタルの会社を立ち上げた。ちゃんとした商社マンですよね。それで、あんな馬鹿なことやってるっていう意味では、敏さんと方向は違うけれども、一石を投じてる。共感するものがありますよ。

鈴木　敏さんが選挙に出続けたのは、選挙期間中は一般の街頭演説はできないからだとか。

赤尾　そうらしいですね。その2週間のために高い供託金を払ってねえ。「数寄屋橋は俺の場所だ」って思ってたみたいで、「なぜ、他の人に譲らなきゃいけないんだ」って（笑）。今でもユーチューブには政権放送が上がってますけど、けっこう予言的なことを言ってるんですよ。「自民党は一回落としたほうがいいんだ。そうしないと国民の目が覚めないから」とかね。それでいて「でも社会党や共産党に入れる奴はバカだ」とか。じゃあ、どこに入れればいいの。都知事選で美濃部（亮吉）さんと石原（慎太郎）さんが争ったとき、両方の悪口をさんざんしゃべったあと、「でもどっちかって言えば石原のほうがましだから、石原に入れろ」って言ったんですって。自分の政見放送なのに（笑）。

姪同士のランチ会で愛国トークを楽しんでます

鈴木 山口二矢とか小森一孝（嶋中事件。元愛国党党員）とは、接触ないですよね。

赤尾 私は昭和40（1965）年生まれなので、もちろん。でも、それがですね、背中がゾッとしたんですが、2年くらい前に、「紹介したい人がいる」と言われて会いに行ったら、旧姓山口S子さんといって、二矢さんの姪御さん！

鈴木 へー！

赤尾 姪対決（笑）。二矢さんのお兄さんのお子さんですって。いま四十代かな。

鈴木 ああ、お兄さんに会ったことがあります。特許事務所に勤めていましたね。

赤尾 お兄さんも愛国党員だったらしいんです。彼女も、高校を卒業したあと、アメリカの大学に行って、今はお父さんの特許事務所をお手伝いされています。おとなしくて頭が切れそうな感じで、私とキャラは違うんですが、二言三言、話したら、考えはぴったり同じ。生き別れした双子の妹に会ったみたいな感じ。彼女も、ものすごい芯のしっかりした愛国者ですし。

ただ、山口二矢さんの場合は、テロリストというレッテルを貼られている側面もあるので、彼女は表に出ることを嫌がってるんです。一時、フェイスブックで考えを発表したときに、変なファンがついちゃったんですって。ネトウヨにありがちですけど、神と崇めるような人たち。で、一度フェイスブックは閉じて、今は仲の良い友人とだけやってます。頭がいい人なので、燃える愛国心はあるんですが、自分の立ち位置を心得てる。

鈴木 山口二矢を神と崇める人たちはいますよね。二矢の起こした事件に関しては、最初は敏さんがやらせたんじゃないかという説が強かったんです。17歳の少年にできるはずはないと。でも事件のあと、警察での供述調書が世に出たら、その内容がしっかりしてるんで、教唆によるものじゃないなと認知されてきた。

赤尾 父から聞いた話では、「敏さんに影響は受けたかもしれないけど、敏さんが命じたわけじゃないよ」と。ただ、伯父にしてみれば、ある意味、自分の代わりにやってくれたような側面もあるので、二矢さんのデスマスクを党本部において、亡くなるまで大切にしていました。思いがあったんでしょうね。伯父同士の思いが通じて、いま私とS子さんが、女子会ランチなんかをやって、愛国談議に花を咲かせてます（笑）。

他人には無頓着なのが赤尾家の特徴

編集 最近、鈴木邦男さんは、右翼からは裏切り者とか批判されていますが、赤尾さんはどうご覧になっていますか?

赤尾 いえいえ、大先輩に向かって私が言うことはないんですが、どうして日本人は小異を捨てて大同につくことができないんでしょうか。

編集 いま、赤尾敏さんが生きていたら、鈴木邦男に対してなんと言うでしょうか。

赤尾 伯父は自分の言いたいことばかり言ってて、他人に対して、お前はああしろこうしろはない人でしたから。日本をよくしていこうという気持ちさえある人なら、区別はしないと思いますよ。

鈴木 赤尾敏さんには叱られたけど、僕らは尊敬してました。命をかけて一貫して闘ってきた人です。もう、あんな人は出ないでしょう。

ところで赤尾敏さんが評価していた人はいないんですか。たとえば三島由紀夫などは?

赤尾 赤尾家の特徴なんですが、他人に対しては無頓着なんです。なので、僕の真似をしろとも言ってなかった。勝手についてくるならいい。本当にドン・キホーテで。

鈴木　大杉栄もそうだけど、組織論には興味がない。一つにまとめて組織の力を強くしていこうというより、個人の自由を認めるという方でしたよね。

赤尾　そう、だから組織も作れないし、お金も作れない。ハハハ。

対話 No.4

雨宮処凛

（作家／社会運動家）

あまみや・かりん　1975年、北海道生まれ。愛国パンクバンドボーカルなどを経て、2000年、自伝的エッセイ『生き地獄天国』でデビュー。いじめやリストカットなど自身も経験した「生きづらさ」についての著作を発表する一方、イラクや北朝鮮への渡航を重ねる。06年からは格差・貧困問題に取り組み、メディアなどでも積極的に発言。07年に出版した『生きさせろ！　難民化する若者たち』はJCJ賞（日本ジャーナリスト会議賞）受賞。反貧困ネットワーク副代表、『週刊金曜日』編集委員、厚生労働省ナショナル・ミニマム研究会委員なども務める。近著『この国の不寛容の果てに：相模原事件と私たちの時代』ほか。

写真＝中村真夕

右翼の砦を離れた今

2017年10月14日、新宿駅における立憲民主党の選挙演説に、小林よしのりさんと鈴木邦男さんが駆けつけ、話題になった。「なぜ立憲民主に？」と雨宮処凛さん。すると鈴木さんからは、「雨宮さんが新党をつくるという噂は？」と逆質問。この二人の大きな共通点と言えば、右から入って左へ抜けた（そうなのか？）という立場。この対談では、それぞれターニングポイントとなった「二十歳の原点」も共通であることがわかった。

〈2017年11月7日〉

なぜ立憲民主党の応援演説を？

雨宮　立憲民主党の応援演説は頼まれて行ったんですか？

鈴木　はい、宮台真司さんから電話があって。

雨宮　そのときのゲストは他に誰が？

鈴木　あとは小林よしのりさん。

雨宮　すごいですね。どっちも右翼。

鈴木　あんなに人が集まった選挙演説は初めて見た。甲州街道から、大きな階段から、全部、人で埋まってる。外国の風景みたいだったね。知り合いがいても近寄れない。あそこにいたマスコミの人たちは、これでもう変わると思ったんじゃないの。次の日から新聞も論調が変わってましたね。彼らは野党第一党になると。

雨宮　でもやっぱり、自民党がいっぱい取った。

鈴木　でも、比例の得票率は40％くらいですね。

黒川敦彦さんの讃えるべき蛮勇

鈴木　僕はもう一つ、山口県の黒川敦彦さんの選挙応援に頼まれて行ったんです。

雨宮　ああ、「創」で読みました。加計問題をずっと追及している愛媛の人ですね。

鈴木　安倍さんのお膝元ですよ。絶対に勝てっこない。普通だったら立たないよね、ジャーナリストが。

雨宮　お金もかかるし。よくやりましたよね。選挙ポスターも「金返せ、税金泥棒」とかそんなのですよね。

鈴木　本人だって怖かったと思いますよ。いきなり暴力を振るわれるんじゃないかとか、いろいろ思ったはず。それなのによくやったと思ってね。向こう見ずですね。

雨宮　どれくらい票入ったんですか？

鈴木　6000票くらい。

雨宮　6000票！　受け皿にはなりましたよね。

鈴木　びっくりしたんですけど、選挙運動が全然ないんですよ。選挙カーなんて1台も見なかった。

雨宮　どうせ安倍さんで決まってるから。

鈴木　選挙事務所も見たことないし、ほとんどポスターも貼ってない。選挙がないのかって思うくらい。

雨宮　日本国憲法の圏外みたいなところですね（笑）。

右翼のとき初めて憲法を読んで、うっかり感動！

雨宮　鈴木さんがまさか護憲と言い出すとは、誰も思わなかったんじゃないですか。何年も前からけっこう言ってるわけですけど。

鈴木　はい。「自由のない自主憲法より、自由のある押しつけ憲法」ってね。

雨宮　私が右翼運動やってたころ、憲法なんて読んだこともなかった。右翼＝憲法改正なんだから読む必要もない。右翼に入ったら、憲法なんて、堕落と日本人の誇りを奪い取った象徴で、恥ずべきもの。憲法があるから、みんな個人主義で、物と金だけで、欲望に溺れて、みたいなことを言われるわけですよ。そうなんだーと思って、私も「憲法改正」って言ってた。

私、右翼は22歳で入って24歳で辞めてるんですけど、私のいた団体は、合宿やってディベートとかやってたんですよ。98年、99年ころですが。

鈴木　なんて団体？

雨宮　超国家主義『民族の意志』同盟。そこで「日本国憲法の是非を問う」というディベートを右翼役と左翼役に分かれてやったんです。真面目な右翼じゃないですか、私。そういうディベートするなら憲法を読まなきゃと思って、初めて憲法を読んだら、前文でうっかり感動してしまって。

空虚な日常を右翼の物語で埋めていた

雨宮　右翼って、戦争の本ばっかり読んでるじゃないですか。ずっと気分は大東亜戦争みたいな。私の場合は本当に日常が空虚だったから、そういう物語が欲しくて、大東亜戦争のこと、特攻隊のことばかりを考えていた。空虚なフリーターの日常をそのことで埋めるみたいなところがあったんです。

だから戦争の悲惨さは勉強してるわけですよね、知識として。そういう中で憲法前文を読んで、本当に感動した。日本一国だけじゃない、すごい広い視点で、「全世界の国民が、ひとしく恐怖と欠乏から免かれ」とか書いてある。そういうのに、すごいな、と思ったんですよね。他の人たちもけっこう感動してた。

私がいたときって、ちょうど小林よしのりの『戦争論』が出たときで、中卒、高卒のフリーターの20代がすっごくたくさん右翼に入ってきたんですよ。元ヤンキーでもないし、右翼に全然興味もなかった人でも、「なんか今の社会やばいんじゃないか」というような感じで右翼に入る。そういう真面目な人たちだったんで、あれ、なんでこの憲法がダメなんだろうって話になった。よく覚えています。

鈴木 僕も生長の家で模擬国会をやったんですよ。改正論者と擁護論者と分かれて。みんな擁護論者になりたがらない、なにせ悪だから。だから、おまえやれって言われて。雨宮さんと同じで、僕もあまり憲法読んでないから、読んでみると、いいこと言ってるじゃないか。

雨宮 それ、二十歳くらいですか?

鈴木　そうですね。
雨宮　じゃあ、同程度のバカだったってことですよ（笑）。
鈴木　それで、論争やったら、憲法改正論者の方がバカだから反論できないんですよ。憲法擁護論のほうが勝っちゃった（笑）。われわれが模擬国会とかできるのも言論の自由があるからで、いいじゃないかと言うと——
雨宮　向こうが黙り込んじゃったと。憲法改正について、「憲法は堕落の象徴だ」とか言ってない人は、理論武装ができてない。根拠がない。とにかく変えて〝取り戻すんだ、俺たちの誇りを〟だけだと、なかなか勝てないですよね。

雨宮党首で女性党をつくる!?

鈴木　雨宮処凛が新党を作るんじゃないかって話がありましたね。
雨宮　ないです（笑）。ただ、ロフトの平野さんや梅造さんと飲んだとき、〝女性だけの政党〟を立ち上げるくらいなことをしないと安倍政治に対抗できないんじゃないかって話が出たんです。ちょっとした政策の違いとか憲法守るとか、そんなもんじゃ、世の中には届かない。女性だけってなると、小池さんブームのときがそうだったように、初の女性総理誕生か、とかワクワクするじゃないですか。小池さんって実は超名誉男性なのに、女性というだけで期待は高まったりする。そういう勘違いがあるので、その勘違いを利用して、女性新党を作れないかなって話。

鈴木 小池さんは選挙に出ればよかったんだよね。

雨宮 出れば変わってたでしょうね。

鈴木 あそこで出てたら政権交代でした。そして、あの人が日本で初めての女性首相になった。それを逃げたというか、迷ったというか。オリンピックの開会式に出たかったのかな。

雨宮 それはあるでしょうね。

鈴木 都知事の任務を途中で投げ捨てたとか、バッシングはされますよね。その点、枝野さんはやっぱりすごいなと思って。ギリギリのところで人間の生き方が問われた。

雨宮 そうですよね。知り合いでも、びっくりするような人まで希望の党に行って、がっかりしました。踏み絵を踏んでまで行くんだったら、今までやってきたこと、全否定ですよね。

鈴木 そう、あの踏み絵はひどい。憲法と安全保障で、民進党で頑張ってやってきた人たちを排除するってことでしょう。

雨宮 政治家の一番大切なものですよね。それで、小池さんっていう職安にみんな行列を作った、ツーショット写真代3万円を握りしめて。

鈴木 元はと言えば、小池さんが都知事に出ると言ったときに自民党が公認すればよかったんですよ。それをやらなかったから、女性が一人で戦ってるとなって、小池ブームになった。一人の女性が決意を固めたら、社会を動かせるんですよ。

雨宮 あの人はそれだけ力を持っているっていう証拠ですよね。今までの経歴や政権との近さを含め、彼女のみ、日本で唯一あれができる女性でしたよね。

変革を求める学生なんて、もういない

雨宮 今回の選挙で気になるのは、10代、20代の自民党支持率の高さ。特に10代なんて、投票した人の半分くらいが自民党。保守という自覚もなく、とにかく、やっと就職も改善してきたらしいと安倍さん言ってるし、これ以上、変な変化があって変わるのが怖い。保守というよりも、自分の生活とか雇用の安定を揺るがさないでくれ、今ギリギリだけどちょっと回復してるんだったら、もうこれでいいからっていう、切実な願いのような感じ。

鈴木 昔の左翼のおっさんたちが変なことしないでくれって思ってるんでしょうね。

雨宮　昔の左翼のおっさんというイメージもないでしょうけど、下手な変革、本当に根底から変わるようなことは望んでいませんという意思表示だと思います。

鈴木　保守というより、現状維持派ですね。僕が学生のころは、保守って言葉は一番悪い言葉だと思ってたからね。

雨宮　鈴木さんが学生のころ、景気いいですもんね。

鈴木　いや、景気のいい悪いに関係なくて、学生ってものは、常に変革を求めるべきものだと、右翼も左翼もみんな思ってましたよ。

雨宮　学生が変革を求めるものってイメージがあったというのがすごいですね。今、そんなこと思ってる学生なんていないと思いますよ。

奨学金という名の絶望

雨宮　今の学生は安定を目指していると思いますよ。奨学金という借金も半分の人がしょっているから。とにかく、この６００万円（の奨学金）を、一刻も早く安定した雇用を見つけて早めに返さないとって。変革とか、考える余裕もないっていう感じですね。

鈴木　そうか、奨学金問題が大きいのか。

雨宮　私の知り合いでも一千万を超えてる人とか普通にいますもん。まだ社会に出てないのに一千万円の借金を超えてると、絶対に就職で失敗できない。しかも、いまブラック企業じゃないですか、だいたいの就職先が。そうなると、いかにマシなブラック企業に行くかってことしかもう考えられない。

鈴木　希望がないな。

雨宮　だって、月2、3万は奨学金を返さなくちゃいけない。それが40代まで続くわけですよね。その中で自由に生きろと言っても……。借金ゼロだったら、いろんなことに挑戦したり、学生時代にアルバイトして貯めたお金でいろいろできるけど、これだけ新卒一括採用しか道がないと、下手に留学とか寄り道した人が戻ってきたら、何にも仕事がないという、もう罰を与えられるような状況です。

寛容度ゼロの日本社会になった

鈴木　日本人の留学生とか少なくなったんだね。

雨宮　めちゃ少ないです。内向きだって批判されるけど、そうさせてるシステムがある。

新卒で一括採用されない限り、一生、非正規みたいな。平均年収172万。それが生涯上がらない。たぶん結婚もできないし、子供も持てないし、一生、家も買えないよねって、社会からそう脅されてる。とにかく、レールからはみ出したら死ぬ、と。

鈴木 小田実の『何でも見てやろう』（1961年）じゃないけど、世界を回ったりとか、いっぱいいたけどね、俺らの世代は。

雨宮 そういうのを思えたってことがすごいですよね。今の日本は、帰ってきたときの受け皿がきっちり閉ざされていて、新卒で就職しないような得体の知れない奴が入る隙間はありませんよ、と。エントリーシートではじかれる。寛容度ゼロの日本社会になったということじゃないですか。社会に自由や懐の深さがまったくない。

NO LIMIT・東京自治区

雨宮 年に一回、東アジアの活動家が集まるっていう交流会をしていて、この前、韓国に行ってきたんです。日本、韓国、台湾、香港、中国、それにシンガポールとかマレーシア、ネパール、タイとか、そういう国の人が集まって、とにかく交流をするんです。一緒に、アジア永久平和デモっていうのをしたりして。

鈴木 どこが主催なの？

雨宮 「素人の乱」の松本哉（まつもと・はじめ）さんが中心でやってるんです。安保法制が出てきたときに、やっぱり、日本は戦争するんじゃないかとアジアの国はびびった。そういう中で、松本さんはとにかくアジア中に友達を作ってしまおうという大作戦をして、いろんな国に行って、酒の力で言葉の壁を突破して、いっぱい友達を作ってきた。去年の9月、じゃあみんなで集まろうと言ったら、アジアの国々から200人の人が来た。毎日、高円寺の駅前で大宴会して、十数人が飲み過ぎて、帰りの飛行機に遅れたりして（笑）。とにかく、アジア同士の対立を煽られているから、自分たちが民間で交流して仲良くなるんだ、そんな感じでやっているんです。去年、「NO LIMIT・東京自治区」ってタイトルでやって、今年は「NO LIMIT・ソウル自治区」ってタイトルで。

七つ手放す世代

鈴木 それはマスコミに出てなかったね。

雨宮 全く。ちゃんとメディアに知らせようって気もないので。はたから見たら、ただアジア人が飲んでるだけ（笑）。顔も同じだから、貧乏人が駅前で騒いでるだけにしか見えないけど、でも、実はすばらしいテーマがあって、去年の東京での最終日は「アジア大バカ集結記念　鎖国反対パレード」っていうデモをやったんです。アジア人のマヌケな人たちとか、あんまりグローバル経済に貢献しない人たちが集まって、平和で仲良くしようということを広めていこう、そういう取り組みなんですよ。

東アジアに共通しているのは、仕事ない、低賃金。特に韓国は日本にそっくりで、非正規雇用しかない。今、韓国の若い人は韓国のことを〝ヘル朝鮮〟って言うんです。

鈴木　なに？

雨宮　ヘル朝鮮、地獄朝鮮。「朝鮮」という言葉には古い時代の韓国っていう意味もあるらしくて、結婚もできないし、仕事もないし、超低賃金だし、若い人の非正規雇用が9割くらいだし、受験戦争が過酷だし……。若い人の自殺率は、日本よりも少し高いくらいで、精神疾患になる人も日本より多い。学歴社会と非正規化。一部の財閥系大企業に入れないと未来が全くないですね。なので「七つ手放す世代」という意味の「七放世代」と言われていて、その七つは恋愛、結婚、出産、人間関係、マイホーム、夢、就職。中国や台湾、香港の人たちもほとんど同じなんですよ。不安定雇用、低賃金が若年層に集中している。

ヨーロッパも同じですよ。グローバル化の下で、これだけ先進国でも貧乏人が増えているなら国際連帯しないといけないと、11年のオキュパイ・ウォール・ストリートのころからいろいろ連帯を模索してきたんですけど、ここに来て、東アジアでの連帯が実現し始めてきてよかったな、と。それでしか対抗できない。

松本哉を参謀に雨宮処凛がやるしかない

鈴木　運動になってるの？

雨宮　これをどこに着地させるかは、全く未知数ですね。

鈴木　政治が動かないと。

雨宮　ただ松本哉さんは、政治とか絡むと嫌がると思うんです。いかに自分たちで好き勝手できる空間を作るか、というのが彼の運動なんで。でも、こういう運動が起爆剤になって、いろんな国でアジアの同じ問題について考えていくってことはできると思います。その原型を作っていると思います。

鈴木　地域的には、東アジアの場合は、韓国、台湾、北朝鮮、いまだに戦争を続けている。そこが難しいところですよね。

雨宮　彼はいろいろ先取りして読んでると思います。ただ、この話を、すごい面白いって食いついてくれる人と、全くスルーする人がいる。だから新聞記者も全然相手にしてくれない場合があるんですよ。なぜなら、この動きに名前の付けようがないから。

鈴木　松本哉を参謀に、雨宮処凛がやるしかないな！

雨宮　彼はもろ政治には関わらないと思うけど、やるとしたらムーブメントですよね。でも、アジア共通のいろんな問題点をあぶり出せたので、やれたらいいですよね。

韓国のロリータパンチは処凛さんの影響

雨宮　今、韓国でフェミニズムがすごいんですよ。若い人はフェミニストじゃなきゃカッコ悪いくらいいな。ロリータパンチっていうフェミニズムグループがあって――

鈴木　ロリータパンチ？

雨宮　ロリータの服、着てるんですよ。私が以前に着ていたようなゴスロリとか。あれを着た可愛い女の子たちが〝国を変えるロリータ〟とか〝戦うロリータは勝つ〟とか言ってデモしてるんです。

鈴木　そういうファッションは雨宮さんの影響じゃないの？

雨宮　それが、そうなんです。その人たちから「雨宮処凛に影響を受けて、ロリータを着て社会運動やってます」とメールが来ました。家父長制破壊とか、女の体は自分のものだとかの主張もあって、韓国のフェミ、今、半端じゃないです。

鈴木 それも、日本ではそんなに報道されてないですね。

雨宮 16年、韓国でミソジニー殺人があったんです。女性蔑視とか女性嫌悪という意味のミソジニー。ソウルのカンナムで、20代の男に女の人が殺されたんですけど、その理由が「女だから」ということだけ。

ミラーリングが韓国社会を変えた

雨宮 その前年15年には、韓国でMARS（マーズ）という病気に罹ったかもしれない女性が強制隔離されそうになったとき、その人が拒否したんですね。それによってその女性がものすごくバッシングされた。

そのバッシングの内容が、韓国の女がバカで、外国に行って男に病気をうつされてくるからダメなんだ、というもので、それに対して、フェミニストの人たちが、全然違うとネット上で対抗していって、それがものすごい一大ムーブメントになった。

そのやり方はミラーリングといって、男性と女性を全部入れ替えて、例えば韓国の男がバカだからMARSになるんだ、そういうような言い方でやり返す。職場でのセクハラの話も、全部、女性と男性を入れ替えて、女性はこんな気持ちなんだよ、っていうことをネット上で展開した。それが社会の空気を変えたらしく、そのへんからみんながフェミニストと言うようになったそうです。

で、去年、決定的な「カンナムのミソジニー殺人事件」が起きて、またその後に朴槿恵（パク・クネ）の退陣要求デモがあった。１００万人レベルでデモが起きましたけど、あそこの現場でもフェミニズムがすっごく語られていたらしくて、どんなに年配の右翼のおじさんでも無視できないくらいにフェミニズムが今、力を持っているらしいんです。

鈴木　韓国の女性って、男性とお酒を飲むとき、面と向かって飲むのはダメで、横を向いて飲まないといけないっていう礼儀作法があるでしょう。あれなんかはきっと、すべきじゃないってなるのかな。

雨宮　今、全然ないですね。すごく新しい世代が出てきて、主張する女がカッコいいみたいな、そんな感じになってきてる。それがすごく羨ましい。

海外に行って自分が相対化できた

雨宮　日本の変な右翼って、だいたい一回も海外に行ったことないじゃないですか。ネトウヨも。私も右翼に入ったとき、どっこも行ったことなくて。右翼辞めてからイラクに行って、いきなり世界観が変わりました。いかに自分が何も知らなかったかということに気づかされた。

私が右翼を辞めるまでが、『新しい神様』（1999年、監督・土屋豊）っていうドキュメンタリー映画になったので、いろんな国の映画祭に招かれたんです。ベルリン映画祭とか香港映画祭とか。すると、自分の人生を各国の人たちが観るわけじゃないですか。いろいろな感想をもらうんです。

「これはドイツのネオナチの構造と同じだね」

「これだけ資本主義が行き詰まって、これだけ人生が上手くいかなかったら、だいたい人は右翼に行くもんだ」

「人は、何もなくなるとナショナリズムにすがる。世界を見てごらん、今、ヨーロッパでも移民排斥が始まっている」

自分の状況を、24、25歳くらいで、いろんな国の人に評してもらって、自分を相対化できたんですよね。自分はただ単にものを知らなくて、いろいろ大変で、ナショナリズムしかすがるものがなくて、右傾化したんだなと、とか。

頑張りが報われる社会になれば

雨宮　私が右翼になったのは、90年の後半ですが、そのころ、日本も一億総中流社会が崩壊して、右傾化してきた。

「どうしたらこんな変な右傾化をやめられるんですか？」とよく聞かれるんですけど、ちょっと昔の日本のように、頑張ったらそれなりに報われる社会になれば、変なネトウヨはいなくなるって、すごい思いますね。

いま、どんなに頑張っても一定の人は報われない社会。それなのに、そういう社会で自由競争をさせて、失敗したら全部お前のせいなんだってやってて、しかも、地域社会とか家族とか、すべての中間団体が破壊されてる。雇用も不安定化して、ものすごい成果主義の中で、同じ会社で働いている人も信用できないとなると、国家にいくしか拠り所がないとなる。社会が先に壊れて、孤独にされた人がそれに、変な適応の仕方をしてるのかな、って思いますね。

団塊世代は団塊ジュニアをわかってない

雨宮　『世代の痛み』という上野千鶴子さんとの対談本が10月に出たんです。サブタイトルが「団塊ジュニアから団塊への質問状」。私が団塊ジュニアで、上野千鶴子さんが団塊世代。団塊世代がもう少ししたらみんな75歳以上になる。要介護になっていくじゃないですか。２０２５年問題。団塊ジュニアは、って言うと、非正規第一世代だし、就職氷河期世代だし、二十歳からずっとアルバイトとか派遣生活で月収10万円代みたいな人も多いので、そういう人がずっと実家を出られない。そのうち親が要介護になって、でも、親の年金しか収入源がない……とっても大変なことになっていくんじゃないか、というような話をしました。

あと、団塊世代の人ってみんな正社員になれたじゃないですか。正社員で年功序列で。それが崩れたのが団塊ジュニアなんですけど、それを団塊世代は、頭ではわかっているつもりでも感覚として理解してないから、自分の息子はバカで、怠けて、甘えているから、引きこもってるんじゃないかって、ジュニアを責めちゃう。私の周りでも、親にめちゃくちゃ否定されて自殺した人がいるんです。時代状況が違うってことをわかってほしい。

団塊世代は火炎瓶を投げたり、社会に怒りをぶつけられたけど、団塊ジュニアは、社会との回路を断たれて、その上で自己責任と言われている。自分に起きた悲劇は100％自己責任にされるので、誰かに怒りをぶつけるなんてことはできずに、自分に怒りをぶつけて、自傷行為をして、リストカットをして、自殺をしてってことがすごく多い。

ジュニア世代を責めないで

鈴木 それを、実は社会にぶつけていいんだ、と言い出したのが雨宮さんでしょ。

雨宮 まあ、そうですね。

鈴木 処方箋みたいなものはあるの？

雨宮 処方箋……というより、実態を知って、責めないで欲しいというのが、こっち側の言い分ですね。人によっては、団塊ジュニアは怒れっていうんですけど、怒るほどの自己肯定感もない。メンタルな部分にも大きい違いがあるので、一番はその辺を知ってもらうこと、そんな話をしています。

鈴木 団塊ジュニアの非正規率って、どのくらいですか？

雨宮　女性だと4割くらいと言われています。男性だとまだ7割弱が正規ですが、それより少し上の世代だと、男性だったらほぼ正規雇用。世代内格差も残酷なほど開いている。非正規の方は、学生の頃から同じ6畳一間のアパート暮らし、鈴木さんみたいな……

鈴木　ははは、なんかバカにしてるね。

雨宮　そんなことないですよ。所得があってもそこに居続けるっていうのは偉いですよ。放火されても住み続けて（笑）。

仕事に逃げ込んで家庭を崩壊させた団塊世代

雨宮　団塊世代のお父さん、彼らがどれほど無自覚に子供を殺しているかって話もしています。「仕事さえしていればいいんだろう」って、家庭を顧みなくて、そのくせ、時々、意味のない精神論とかで子供を追い詰める。生産性がなければ生きる価値がないっていう、相模原事件の植松みたいなこともさんざん言うわけですよね。で、奥さんには「おまえの育て方が悪いからこんな子供になった」と。不在で家庭のことなんか何にもわかってないのに、「誰のおかげで食えてるんだ」みたいなこと言って。抑圧されて子供が病気になったり、家庭内暴力みたいに子どもが母親と殴り合ってるのに、その横を何事もなかったようにスルーしていける団塊世代の男性、けっこういますよ。

鈴木 会社に行くからって、逃げる。

雨宮 そうそう。〝お父さんの方が甘えてるだろう〟と、子供は心の中で思っている。社会には男性の再生産を助けるシステムが溢れてるんです。飲み屋とかスナックのママとか、キャバクラとか風俗まで。でも子供と母親を癒してくれる場所って一つもないですよね。そういう非対称性がある。

鈴木 そういう父親は、今の家庭が壊れているのは、マスコミが、社会が悪いからで、憲法を変えて、父親の権威を定めて——

雨宮 そうそう。そういうこと言うんですよ。家族は助け合わなければいけない、とか。壊した張本人が憲法に書き込もうとする。

鈴木 もっともっと崩壊は進みますよ。

雨宮 上野さんは、団塊世代の男性と一緒に学生運動して、そいつらの女性差別に幻滅した、ということを言ってました。運動内部の位置づけでも、後方支援とか。とにかくメシを作れみたいな。それで、運動してる女とは付き合わないで、可愛らしい女と付き合うとか。ダブルスタンダード。

鈴木 ダブルスタンダードか、ははは。よかった独身で。

対話 No.5

塩田ユキ

（監獄人権センター）

しおた・ゆき　1975年、香川県生まれ。岡山で専門学校卒業後、恋愛のもつれの中で〝ツレがウヨになりまして〟を経験。結婚、離婚を経て、東京でシナリオ学校に通うも「まだものを書くだけの内実が自分にはない」と挫折。ひょんなことから死刑制度に関心を持ち、実際の死刑問題を考える運動に関わる。死刑廃止運動の過程で鈴木邦男と知り合う。東拘（東京拘置所）のそばに居住する。

写真＝椎野礼仁

〝国〟よりも私を愛して

いきなり〝モトカレ〟の話から対談は口火を切った。鈴木さんには珍しいガールズトークの炸裂。でも、だんだん聞いていくと、愛憎関係のもつれと、岡山という地方都市の特性などが相まって、右翼になった彼といろいろなことが。劇団「笑いの内閣」の『ツレがウヨになりまして』という芝居に鈴木さんがトークゲストで出たとき、「あれ、俺の周りにもツレが突然ウヨになって、頭にきて自分はサヨになった人がいたな」。そんなわけで、このゲストの登場となった。

〈2012年9月30日〉

カレに浮気をされ、一番の復讐はなにかと考えて

塩田　カレとは、もともとは専門学校の同級生なんです。

鈴木　それで？

塩田　その付き合っていた彼が……浮気をしたんです。で、それを自分で抱えきれなくなったみたいで、私に告白したんです。そのとき「お前はこの逆境を耐えろ！」なんて言うんですよ。こいつ、許せないと思って、それで……人でなしのような話な

んですけど、浮気し返してやろうと思って――

鈴木 オーッ！　いくつぐらいのとき？

塩田 相手は22歳。で、そんなとき、彼の親友が私に交際を申し込んできたんです。そのとき、申し訳ないんですが、復讐にこんなぴったりな人選はないなと（笑）。

鈴木 なるほど（笑）。

塩田 しかも、この男二人は幼稚園からの親友だったんです。

鈴木 土曜ワイド劇場だな。土曜ワイセツ劇場か（笑）。

塩田 それで親友のほうと付き合い始めたんです。そうしたら、元カレは、それを見届けるように、向こうの女のほうに行っちゃたんです。

で、その新しい男が、ある日、名刺を出してきた。それが右翼団体の名刺だったんです。何にも知らなかったんで、名刺に書かれた組織が何なんだかわからない。なんとなく、それらしいなとは思ったんですが、右翼とやくざの区別もつかない。

鈴木 普通の人だったのに、突然、右翼になったんでしょ？

塩田 そうです。

鈴木 何やってた人なの？

塩田 普通の会社員ですね。仕事の関係者に右翼がいて、そこに入門したという。

鈴木 経済的な問題で、右翼に何か頼んだりしたの？

塩田　はい。彼のお父さんが、そのころガンで死んで、死んだあと、消費者金融の無人契約機のカードがいっぱい出てきたんです。驚いて調べたら、家族では返せないくらいの借金があった。その処理を右翼に頼んだと、彼は言うんです。「なかったことにしてもらった」と。

「俺、何をやってもつかまんねーから」

——右翼になったと言うけど、生活に違いは生まれたんですか？

塩田　仕事が変わって、債権回収業になりました。

鈴木　で街宣車に乗って？

塩田　それはなかったですね。車は、借金を返せなくなった人から取り上げた車に乗ってました。だから、会うたびに乗ってる車が違う（笑）。

鈴木　それで？

塩田　彼は「とりあえず俺、何やってもつかまんねーから」って言ってました（笑）。そのとき、なぜだかわかりませんでしたけど。すごいなぁと思ってました。

鈴木　羽振りも良くなった？

塩田　良くなりました。その子は持ってないけど、上が金持ってますから。遊びに行くときは、全部出してくれた。

鈴木　よかったじゃない、ツレがウヨになって（笑）。

塩田　反社会団体のおこぼれに預かった（笑）。

鈴木　思想も変わったの？　愛国心を持ったわけ？

塩田　思想は変わらなかった。

――街宣に行くとか、集会に参加するとかはなかったの？

塩田　ないですね。

鈴木　浮気されたんで、親友の男にいき、その男が右翼になったんで左翼になった。全部簡単な図式ですね。

塩田　はい、じゃあ、終わりましょ（笑）。

――2ページで終わっちゃった（笑）。

右翼が沖縄アクターズスクールの姉妹校を開校

鈴木　右翼になった男は、それでどうなったの？

塩田　そのころ、沖縄アクターズスクールがものすごい人気だったんです。

鈴木　ああ、安室奈美恵とかスピードとか。

塩田　そうです、そうです。よく知ってますねぇ！　それを岡山に持ってきたんです、彼の先輩が。沖縄アクターズスクールの姉妹校という芸能学校を作った。そしたら入学者がたくさん集まったんです。最初の発表会というのも成功した。そのころから、だんだん私と会わなくなったんです。向こうは、金はあるもんだから、キャバクラとか行き出しちゃったんです。二〇いくつかで、そんな世界を知っちゃったもので、こっちにあまり来なくなった。それで、だんだん音信不通になっちゃった。

鈴木　それっきりなの？

塩田　はい。それで、あとから知ったことなんですけど、ある人に「あれはとんでもない詐欺だったのよ」と聞かされました。芸能学校に人を集めるだけ集めたあと、学校の建物が不審火で全焼したんですって。で、生徒には「建物が全焼しましたので、代わりのところを探している。見つかったら連絡します」というA４一枚の紙が送られてきてそれっきり。沖縄アクターズスクールと姉妹校というのもウソだったんですって。不審火も自分で火をつけたんだろうというのが、業界のうわさ。それを聞いたときは怖かったですね。彼から「ちょっと仕事を手伝ってもらうかも」と言われたこともあったんで、もしかしたら、私も知らずに詐欺に加担してたかもしれない。

鈴木　どうなったのその男、生きてるの？
塩田　一水会の線からわかりませんか？
鈴木　岡山は日本で一番、右翼の数が多いっていうしなぁ。
塩田　そうなんです。右翼団体が110もあるって言ってました。その後、岡山で起きる右翼の事件とかヤクザの抗争のニュースなんかは、気にして見てるんです。

初めて活動家を見て東京人のゼイタク病だと思った

――「ツレがウヨになりまして」という芝居はどういう話ですか？
塩田　若い二人が同棲をしていて、女の子がある日、彼のパソコンを見たら、ブックマークに田母上俊雄とか、右翼っぽいページばかり並んでいる。カレシを問い詰めると「日本は朝鮮のせいで大変なことになってるから、やっつけないと日本は終わり」とか言い出すんです。それで、ネット右翼の団体に入って、近くのスーパーがKARAのライブをやるから抗議に行こうとか言い出す。そんな活動やめてくれと頼むんだけど、彼はやめなくて……
鈴木　これは塩田さんの人生だなと思って、京都まで見に来てもらったんです。

——（ここで、やはり鈴木さんの要請でこの芝居を見に行った、「劇団再生」の女優あべあゆみさんに加わってもらった）

あべ　セリフが面白かったですね。「彼女の代わりはいても、祖国の代わりはない」とか。よくよく考えれば彼女の代わりだっていないと言いたいけど、ちょっと無視され、都合のよく解釈されてるということを、うまく風刺していました。笑えました。

鈴木　思想的なセリフも多かったよね。劇団再生と似ていて。

あべ　（苦笑）ホンを書いているのが、コメディの方なので、「こんなところが変だよね、ネット右翼は」というのを、面白おかしくわかりやすく描いていましたね。鈴木さんのエピソードもうまく使ってるんです。若かりしころの鈴木さんが、井上ひさしに抗議の電話をかけたとき、井上さんが「いつも活動御苦労さんです。ところで僕は歴代の天皇の名前を全部言えるし、教育勅語も暗唱してます。あなたも右翼なんだから、当然言えますよね」と言われたという、あの話を、芝居の中に巧みに取り入れて、笑いを取ってましたね。芝居の主人公はにわか右翼だから言えなくて、ウィキペディアで慌てて調べる。

鈴木　塩田さんは、カレシにやめてくれとは言わなかったの？

塩田　都会の人に言っても信用してもらえないんだけど、地方って右翼というかヤクザが多いんですよ。だから、友達の親がヤクザとか、友達のカレシがヤクザという話は、よくある。免疫があったんです。

鈴木　その、「俺はなにやってもつかまんねーよ」と言ってた話なんだけど、実際、なにかやってたの？

塩田　地方は車社会なんで、どこ行くにも車。そのときのマナーとして、前の車に対して、じゃまだなと思っても、クラクション鳴らしたり、無理に追い越したりしないんです。相手がどんな人かわからないから。マナーというか、暮らしの知恵というか。でも彼は、右翼になって、突然それを始めたんです。じゃまな車がいたら、バーっと幅寄せしたり、クラクションけたたましく鳴らしたり。「この人はどうしちゃったんだろう」と思ってました。

　そもそも地方にいたときに、活動家って見たことないんです。左翼はいないし、右翼は街宣車は見かけるけど、演説してるところに出くわしたことがない。

　よく、実生活でうまくいかなかった人たちが右翼になると言うじゃないですか。あれには違和感があって、東京に出てきたとき、右翼や左翼がこんなにいるのを見て、「あっ、都会の人は心に余裕があっていいな」と思ったんです。国を憂いたり、革命を夢見たりする余裕があるんだなと。東京人のゼイタク病だと思いました。今も、ちょっとそう思っている。

あべ　芝居の中で、ネット右翼になる理由で他に誇れるものが何もないから、日本人ということに誇りを持つというセリフがあって――

鈴木　はい、私もそうです。

――浮気されたから、その親友と浮気してやるという発想を聞いて、〝女は恐い〟と思ったけど、あべさんはどうですか?

あべ　(きっぱり)とても合理的だと思います!

死刑が東京拘置所で執行されている!

鈴木　で、頭にきて左翼になったの?

塩田　実は、その後、全然別の人と結婚して、それにも破れて(笑)。なら夢だったシナリオを勉強したいと、東京に出てきたんです。ドキュメンタリー志望だったんですが、岡山では自分が反社会団体の人間と付き合ったことも、それと知らずに生きてきたんで、ただのアホな市民で、世の中に訴えたいテーマがない。それじゃいかんと思って、本を探していたら、その中で「死刑が東京拘置所で執行されている」という一節を見つけてびっくりしたんです。そのとき、北千住に住んでいたので、こんな近くで!と思って、その日、東拘に行きました。それで死刑について調べているうちに、だんだん左翼的な考えにかぶれていったんです。
シナリオ作家学校を出たあと、ある先生について勉強してたんですが、その先生が最高裁の裁判官の方に会わせてくれたんです。でも、先生と裁判官の方がお話しされてるのを黙って聞いてるだけで終わってしまって、帰り道に先生が、「裁判官に直に会って、日本の司法がどれだけいい加減か知って欲しかったけど、君にはまだ無理だね」と。これはまだ私はものを書くレベルじゃないな、とショックで先生のところも辞めたんです。
でも死刑については反対したいと思っていたら、ある日、綾瀬の駅で死刑反対の市民運動をしてる人たちのビラをもらったんです。そういう運動を知らなかったんで、これしかないと思って、その場で「入れてください」と声をかけた。「東京拘置所のそばで死刑について考える会」（そばの会）だったんです。
鈴木 ビラまきも効果があるんだなぁ。
塩田 市民運動に入ってみたら、今まで自分が本で得てきた情報量とは格段に違うことを知ることができる。権力批判についても、視点が全く違う。これはすごいと思いました。
鈴木 「そばの会」の人たちとは、会ったことがあります。私も死刑廃止の運動に関わってますから。

塩田　鈴木さんに初めて会ったのも、フォーラム90という死刑反対運動のデモです。

鈴木　で今は、バリバリの市民運動の活動家となって、元カレに対する復讐が完結したんだ！

塩田　今少し、戸惑っていますね。集会とかが終わって飲み会になると、メチャクチャに楽しいんですよ。死刑や政権批判を肴に何時間でもしゃべれる。でも、一向に死刑は廃止されてない。そう思ったら怖くなった。世の中何も変えてないのに、運動だけ楽しいというのはどうなんだろうと。何か環境を変えようと思って、一水会の集会に行ってみたんです。右翼に免疫がありましたからね。で、そのとき、右翼にも思想的な人がいるんだと思いましたよ。自己紹介のときに、「左のほうから来ました」と言ったら、木村三浩さんも「僕も死刑反対なんだよ」とおっしゃったのをよく憶えています。

対話 No.6

三浦瑠麗

（国際政治学者）

みうら・るり　1980年、神奈川県生まれ。当初、東京大学農学部生物環境科学過程に入るも、文系の東京大学大学院公共政策学教育部に転じ藤原帰一に師事。以降、東京大学政策ビジョンセンター講師などを歴任しながら、国際政治学の研究者の道を歩む。在学中に自民党主催「国際政治・外交論文コンテスト」で総裁賞を受けたのを初めとして、研究論文の受賞歴は多い。2015年からは「朝まで生テレビ！」などマスコミでの発言を続け、小林よしのりや橋下徹などとも論戦を繰り広げる。著書に『日本に絶望している人のための政治入門』『孤独の意味も、女であることの味わいも』など。

写真＝小山 茜

憲法に書き込まなければいけない3つのこと

憲法に書くべき3つ目は「多数者がマイノリティーを抑圧しないように工夫を凝らす必要がある。我々が理想の社会を体現できていない以上、特出しして守らなければいけないマイノリティーの権利はある」と三浦さん。深夜のテレビで論争するときと違って、穏やかに諄々と説く三浦さん。対談が終わると、娘さんを幼稚園に向かいに行かなければと速やかに席を立ち、小さな体で大きな4WDを駆って帰られた。

〈2017年7月10日〉

9条に3項を付け加えるのは二段階革命論？

鈴木　「朝まで生テレビ！」に出て、何か違和感を感じましたか。

三浦　ある程度議論が不毛なのは、見ていたのでびっくりはしなかったんですが、理解したいと思っている人が少なくともあの場に2〜3人いないと、もう意味ないですよね。

鈴木　理解したら発言できないんでしょう。

三浦　いやいや、聞くのはすごく大事なことじゃないでしょうか。ただ、普通に考えていたら、未知の論点というのはもうなくて、聞いたことがある議論を応酬して、何を反論されるかもわかっている。ゲームをがらっと変えるのは、新しい論点を投下しなければいけないと思います。

鈴木　憲法に関して、三浦さんの新しい論点はどういうことですか？

三浦　9条2項が主戦場であるというのは基本的な考え方ですが、そのとき9条2項を削除すると、自衛隊という存在が憲法違反ではなくなる。そういう成果を出すだけでは、既成事実となった自衛隊を事後承認するだけ。私が申し上げてきたのは、「自衛隊を憲法に明記しないということを政治ゲームにすべきじゃない」。自衛隊と安倍政権は別なので、安倍政権に批判的だとしても、自衛隊の運命を政治的な理由で左右してはならない。

　では自衛隊を明記すればいいのかというとそうでもなくて、軍隊ではないと説明をしてきたものを軍隊にするわけですから、当然、各国で行われているシビリアンコントロールとか、軍事法廷であるとかが必要になってくるわけです。つまり国会のシビリアンコントロールを強くするという条項を入れていくべきだと。行政府が専権でシビリアンコントロールするだけではなくて、立法府にもその権能を持たせようということです。

誰も9条の正面突破で、他は何も目に入ってない。けれども、もし軍隊を持つとすれば、持っているんですけど、さまざまな目配りが必要になります。三権分立に対する配慮とか、軍事法廷における裁き方に疑問が生じた場合、誰が介入できるのか。これは極めて実務的な問題であると同時に、政治における自由と権利とか、あるいは少数者である軍人たちに対して我々民主主義多数者が決めたことを押し付けていいのかとか、極めて倫理的な問題を含んでいるんです。

でも、今は2項を削除しないで3項を付け足すという、本丸を目指さない総理はどうなのかという意見と、とは言っても公明党と連立しているんだからという意見が対立して、ほとんど進歩がないんですね。

鈴木 とにかく3項を入れて、もう少し風が吹いてくれれば、さらに第2回、第3回と見直しするだろうから、そのときに2項は取っちゃおうと、そういう二段階革命論なんじゃないんですか。

三浦 そういうふうに安倍さんはおっしゃいませんでしたけれども、高村さんはそうおっしゃっているんですよね。三浦さんの世代で2項を変えればいいじゃないか、と。

私がハト派の理由

三浦　私がハト派として自らを位置付ける最大の理由は、戦争に失敗した例を見ていることです。私たちの世代で言うと、最大はイラク戦争ですね。その後のアフガニスタン戦争の不毛さも見ている。簡単にできると思われた戦争は失敗するという事例を見たわけです。

鈴木　２００３年の2月、イラク戦争が始まる1か月前にバグダッドに行ったんです。一水会の訪問団で、明治天皇の玄孫の竹田恒泰さんも一緒のグループでした。

三浦　一水会は何でそんなに外交に関心があるんですか。

鈴木　現代表の木村氏がバース党の支持者で、それまでに20回以上イラクに行っていた。一水会の主張は、対米自立なんです。

三浦　じゃあ自主防衛論者ですね。この前、右翼的な方が、対米では現実路線だと自分のことを定義していた。右翼の中で、対米への態度で対立があるんですか。

鈴木　昔の親米右翼はもうほとんどいないんですよ。現実肯定保守派に乗り越えられているんです。

24条がなぜターゲットに

三浦 日本会議周辺の人たち、例えば櫻井良子さんとかは、安全保障や外交にあまり関心がない。むしろ家族とか……。

鈴木 24条を変えようとしているんですよ。

三浦 家族問題、皇室問題で、特に彼らが譲れないのは、女性天皇・女系天皇的なもの。

鈴木 僕は、学生時代は生長の家をやっていたんです。日本会議の人たちは生長の家の出身者が多いんですが、昔、憲法改正問題は生長の家が主導権を取ってやっていたんです。

三浦 その生長の家の人たちは、どの部分の憲法改正がやりたかったんですか。

鈴木 いろいろ迷っているんでしょうね。前文を変えればいいとか、全体を変えるとか、9条と24条など何条か変えればいいとか。最近は特に24条で、日本の家族が危ないと……

三浦 どうしてそうなったのか知りたいです。

鈴木 昔から日本は父親がいて、お母さんは二歩も三歩も下がって愛を持って見守っている。それで支えられてきたのが日本の美しい家族。その家族が中心になって日本の国家が成立してきた。天皇は日本の父親だと。家が国の中心だという意識があるんじゃないですか。

三浦　鈴木さんは、家族にはあまり関心がないんですか？

鈴木　僕？　それは必要でしょうけれど、ただ、それを法律で決めるというのが嫌ですね。自民党の改憲案だと、家族は愛し合わなくちゃいけないと。そうしたら離婚は憲法違反になっちゃう。そういうのは憲法、法律に馴染む問題じゃないと思いますね。

三浦　家族中心というなら、今、大して保険料も払わずに介護保険を受給している高齢者から全部介護保険を奪わなきゃいけなくなっちゃいますからね。

鈴木　日本は強くあるべきだ、というのがどこかあるんですよ。それで韓国・中国になめられるなとか。同時に、女性がどんどん社会進出してきて、それに対する恐怖があるんじゃないですか。日本は昔は父親がしっかりしていて家族が守られていたんだから、一人一人に選挙権があるのはおかしい、父親が一人代表すればいい。そうすると家族は守れるなんて言う人もいるんですよ。

三浦　それを突き詰めると、身分制、あるいは財産の多寡によって権利が違う時代に戻るんですよね。多額の納税者が人より票を多くもらえるとしたら、ユニクロの柳井さんとか、ホリエモンとか、楽天の三木谷さんという人たちが国家の命運を決められることになりますね。

憲法案をつくるのに日本人はどれだけ真摯だったのか

——鈴木さんが、憲法は諸悪の根源、憲法さえ変えればいいと思っていた、とおっしゃいますが、昔「憲法を変える」と言ったときは、9条のことを指していたんじゃないんですか。

鈴木 それよりもやっぱりアメリカに押し付けられた憲法という思いでしたね。でも、24条を書いたベアテ・シロタ・ゴードンさんと何回かお話しして変わりました。彼女は22〜23歳で24条を書いたんです。そんな若さでふざけるなと思ったんですよ。でも、ものすごく高い理想を持っていたし、占領軍の人たちも日本国憲法に対して夢や希望を持っていたと思うんです。

それに比べて、日本人はどれだけ真剣に考えようとしたのか。マッカーサーは一度、日本人に憲法案を作らせましたよね。その結果に愕然としたわけでしょう。こんな明治憲法をそのまま引き写したようなものじゃ駄目だというので、押し付け憲法になった。あのときにアメリカを凌駕するような民主的な憲法をなぜできなかったか。ジェームス三木さんの『憲法はまだか』に書いてあるんですが、民主的な憲法を作ったら、アメリカが帰ったあとに日本人に売国奴といわれる。それが怖かった、と。

日本会議は中産階級の利権を主張しているだけ

鈴木　日本会議には誘われないんですか？

三浦　誘われたことはありません。前、「朝生」の楽屋で百地（章・日本大学名誉教授）さんに言ったんですけど、日本の社会を救いたいんでしょう、お友達が見放されている状況を何とかしたいんでしょう。立派に夫が年収を稼いで、専業主婦できちんと暮らしている人たちを前に、日本の家族の理想とかを講演しても何もならない。むしろ共働き世帯の学童保育とかを実地でやられたらどうですか、それで「論語」とか暗唱させればいいんじゃないですかって言ったら、「日本会議は小さい組織なので、そこまで手が回りません」と真剣に答えてました。そういうことなんですよ。茅葺きとかバラックとか長屋に住んでいる子たちを救いたいという理想じゃないんですよね。そこが日本の右翼が続かないところなんです。国家にぶら下がって、中産階級の利権を主張しているだけなので、金もうけの利権ですらない、貧困層の利権ですらない。

鈴木　百地君とか明星大学の高橋史朗氏も生長の家で一緒だったんです。生長の家の家庭というのは中産階級の中で親を尊敬して育った人が多いんです。そういう親孝行な子供たちというところを、安倍さんは信用しているんじゃないですか。

三浦　だから他の選択肢が必要なんです。日本の社会全体を見てあげる勢力、日本の都市と地方を和解させる勢力、子供を大事にする、貧困だとか分け隔てなく大事にする勢力。子宝の風土的な何かを体現する政党もないし思想家もいない。この国は母親というものが不足していて、みんなで口々に「おなかすいたよ」と叫んでるというのが現状です。なぜ私が重宝されるかというと、みんなママが欲しいからなんですよ。聞いてほしい、わかってほしい。自立して生きていく市民が育ってないんだとすると、戦後憲法の意味もなかったんじゃないでしょうか。

憲法に書くべき3つのこと

三浦　自民党2012年憲法草案に関しては、大反対です。2005年草案はよかったと思います。現代の我々が合意可能な、非常に抑制のとれたものだった。2012年のほうは、現実と願望を混同していて、憲法に書けば何でも実現すると思い込んでる。あとは天皇主権的な何かを想起させながらも、実は天皇機関説である。さらに、公共の福祉という意味ではない別の用語を勝手に作り出した。公の秩序と言ってみたりとか。あれは政治学の基本概念を根本から壊すんです。公共の福祉というのは、私の利益とあなたの利益がぶつかった場合に、私の利益が100％優先されたりしませんよ、お互い対等なんですから、ということであるのに対して、公の秩序は全然違うんです。その公って何なんだろうかと考えてみたときに、これも天皇と同じで、かしこみ敬って見せるけれども実態は俺たちが支配するということなんです。

鈴木 三浦さんのご意見では、何を憲法に書くべきなんですか。

三浦 全然違う人たちがこの狭い国土にいます。この人たちが共存するための最低限のルールですね。人を殺しちゃいけない、みんなの命を大事にしましょう、これは女性の命だから男性の命より価値が重いということにならないです、という基本的なルールです。次に権力の合法的な交代を制度化する。あえて3つ目を書くとすると、多数者がマイノリティーを抑圧しないように工夫を凝らす必要がある。我々が理想の社会を体現できていない以上、特出しして守らなければいけないマイノリティーの権利はあると思います。

9条をどうする

鈴木 自衛隊は、何年か区切って保安隊に戻し、さらに何年か区切って警察予備隊に戻し、最終的には警察にしたらと考えます。軍隊がない国家になる。戦後もそう考えたんだから、それでやればいいだろうと思います。そして世界に対して軍隊はやめよう、戦争のない世界を作ろうと、自主憲法で訴える国家になるべきだと思います。

三浦 そのときに日米同盟は破棄するんですか。

鈴木 はい、破棄します。

三浦 それなら一貫性はありますね。もし同盟を破棄しないで守ってもらう前提だとすると、それは血のコストをアメリカ兵に負ってもらっているだけなので。

鈴木 宣戦布告して国家と国家が戦争をやるということはもうないと思ってます。それよりは、自然災害のほうが被害が大きい。日本の自衛隊は、そういうものから国民を守っている。軍隊を超えた軍隊だから、コンプレックスを持つ必要はない。

三浦 戦争をするためのものが軍隊で、治安維持や災害救助は消防や警察だから、治安維持や災害救助のためだったら実力組織は持ってもいい？

鈴木 と思います。それは夢なんだけども、そういう夢や理想を書くのが憲法だと思っています。

三浦 今おっしゃったことは、世界が日本に近いぐらいの文明度と平和度を獲得したときにカントが実現しようとした世界に似ているんです。カントが言っているのは、常備軍は段階的に廃止する。共同防衛隊を持つことは妨げない。そういう世の中を作るため必要なのは、一つは戦債発行の禁止。二つ目は戦時国際法みたいなもので戦争のルールを縛る。今日、一番達成できてない予備条項と呼ばれるものが、常備軍の段階的廃止と戦債発行の禁止なんですね。力とお金なんです。

私の案は、9条2項の削除、そしてシビリアンコントロールの国会の権能の明記。それから調査委員会を設置する権限を設ける。例えば軍の中でとどまらないような問題解決をしなければいけない場合、あるいは行政府が情報の隠ぺい工作に関わっていると思われるような場合、国会が委員会を設置し、強大な権限を与えて調査する委員会。それを憲法事項として作っておくということです。

ただ、これだけでは防げない戦争があります。それは民主主義が戦争を望むとき。仮に軍人が嫌だと言っても戦争が起きてしまう。

鈴木さん案にいくためには、まず核抑止をどこかでなくさなければいけないんです。でも核抑止をなくしたら、大国間で戦争が起きます。核抑止をなくした瞬間に、攻撃優位の状況が生じますから。世界戦争のリスクがいったんものすごく高まるわけです。これをどういうふうに防ぐか。

私は現実派なので、核抑止は保持する。次に核抑止からはみ出た部分の国際法違反の戦争をなくす。国際法を守っていれば、自衛しかしなくて済むわけです。ただ自衛といってもいろいろ見方があって、これは自衛戦争だと両方が思っている場合がある。

それを防ぐために、国家の政府としての開戦権限に何らかの制約を掛けていく。また我々とは全く違う発展レベルにおける国の内戦をどうやって解決するのかという問題が別個に生じます。先進国以外でどうやって持続可能な開発、平和、人権が成り立つか。

鈴木　今の憲法前文を、僕ら学生のときによく批判したんです。「平和を愛する諸国民の公正と信義に信頼し」という。それに信頼して我々は軍隊を放棄するというけれども、平和を愛好する諸国民なんてどこにいるんだ、そんなものどこにもいないだろう、だから我々は武装すべきだ！　と言っていたんです。でも木村草太さんの本を読んでいたら、そういう国家を作るために我々は生きているんだ、と。ああ、すごいな、と。夢想かもしれないけれども理想というのは必要だと思うんです。

三浦　私の『シビリアンの戦争』という本は、結局、「諸国民の公正と信義に信頼して」という当時のアメリカ人たちの情熱が持っていた問題意識よりも1世紀分ぐらいあとの問題意識で、国民全体が戦争を望むこともあるんじゃないか。もう少し広く理想を持っていかなければいけない。それは移民に対して我々の社会をオープンにしていく方向ともつながるはず。豊かな市民として暮らしている人たちが、田舎の貧しい若者が自衛隊に入っていったときに「おまえ、そこら辺のがれき片付けておけよ」と言っていいのか。そういう難しい問題が含まれているんです。

鈴木　考えもしなかった論点投下、確かに承りました。

対話 No.7

ミサオ・レッドウルフ

（首都圏反原発連合メンバー）

みさお・れっどうるふ　アクティビスト／首都圏反原発連合メンバー。広島市出身で、イラストレーターとして、ファッション関係の仕事などを手掛けた。2007年に非営利団体「NO NUKES MORE HEARTS」を発足させ、反原発運動を始める。11年3月の福島第一原子力発電所事故を契機に設立された反原発ネットワーク「首都圏反原発連合」の中心メンバー。著書に『直接行動の力「首相官邸前抗議」』がある。

持続する志

持続する志の権化と言うと言葉は古いが、とにかくめげない人である。過去には自宅に街宣をかけられたこともあるが、今も変わらず毎週の「金曜官邸前抗議」を継続している。ただそれだけではない。原発イシューでの動員のピークは過ぎたと冷静に分析し、次の仕掛けを考えているという。

〈2017年10月26日〉

新しいセンスが欲しいと勧誘された

鈴木　ミサオさんが反原発運動に入るころは、まだ原発のことがそんなに考えられてない時期でしょ？

ミサオ　ちょうど六ヶ所村の再処理工場の試験運転があって、坂本龍一さんの情報発信だとか鎌仲ひとみさんの映画ができたころです。そのころの運動は、チェルノブイリのころから参加した人がだんだん少なくなってきている状態で、そんな時期にオールド系の人の再処理反対の集会に参加したんです。

鈴木　オールド系って？

ミサオ　旧社会党系の、原水禁とかあの辺のソフト路線の左翼の人たちがメインです。別に左翼運動でもなく……。反原発のシングルイシューでやっていた市民運動の人たちが、若い層にも広げるために、私に実行委員会に入ってもらえませんかと頼まれたんです。最初にやったのは、ジンと呼んでいたんですが、若いセンスのイラストレーターなどを使った、雑誌でした。

鈴木　本当だ、素人が作ったとは思えないな。

ミサオ　自分もイラストレーターだし、デザインもプロの知り合いに頼んだりしました。

投票はどうしてますか

鈴木　相変わらず反原連はやってるんですよね。

ミサオ　はい。活動としては、「金曜官邸前抗議」をずっとやっていて……。

鈴木　今、何人ぐらい来るんですか？

ミサオ　だいたい500人ぐらいですね。初期に比べると高齢の方が目立ってきたけど、それでも子ども連れの若い主婦もいます。ただデモに行くのって、最初は怒りを持って駆け付けざるを得ないという気持ちの方が多いと思うので、時間がたつにつれて平

日比谷野外音楽堂、2015年12月6日

常心になってくるし、暮らしもあるしでなかなか来られなくなる。リタイアされている方たちは、比較的時間に余裕があったり、あとよく聞くのが、孫に原発を残したくないし、自分たちがやってこなかった後悔みたいのをおっしゃる方が多いですね。

鈴木 政党はほとんどの党が、原発ゼロや削減を目標として掲げていますが、あなたの実際の投票行動はどうしてるんですか？

ミサオ 今回は、比例は立憲民主に入れました。

鈴木 おお。ありがとうございますって、私がお礼するのも変か？

ミサオ そう言えば選挙のとき、立憲民主党の応援演説してましたね。

鈴木 小林よしのりさんと一緒にね。あのとき、行って良かったなと思いました。人も多かったし、ものすごい熱気で、立憲民主はかなりいくなあと思いましたよ。

ミサオ　どういうルートで応援を頼まれたんですか。

鈴木　宮台真司さんから電話がかかってきたんです。僕じゃ、彼らが迷惑するんじゃないですか、と聞いたら、いや、リベラルと左だけじゃ駄目だから、というので、それならと。

ミサオ　そういう意図だったんですね。

菅直人さんは脱原発を最後の使命に

ミサオ　私、左翼と思われていて、共産党でしょうって言われることもありますが、そんなことはないんですよ、全然。

鈴木　共産党とはあまり接点ないの？

ミサオ　ありますよ、もちろん。超党派の脱原発運動をやってるので、共産党の国民運動部もつながりがあります。国会議員だと、私が一番よくやりとりするのは、菅直人さんは直でやってますし、福島瑞穂さんもそうだし……。7月7日の集会では鈴木さんにもご登壇いただいて、ありがとうございました。菅さんは毎週金曜日以外に年に3回、4回ほど週末に大きい集会をやるとき、ほぼ毎回、民進党代表として来てくれたりとかしてるので、私も選挙の応援メッセージも出しました。2000票差で危なかったけど、何とか当選しました。立憲民主党の勢いと、共産党が候補を下ろしたのも功を奏したと思います。

鈴木 すごいですね、あれは。

ミサオ この2年、野党共闘で、保守系の人とか共産党アレルギーの人たちからも、イメージは良くなってますね。

鈴木 確かに内田樹さんとか中島岳志さんとか、新しい人たちを並べて広告を出してたのはびっくりしたね。脱原発で一番期待できる政治家は菅さんですか？

ミサオ 私が知る限り、菅さんは最後の使命だと思ってやってらっしゃるので、それに関しては信頼はできると思いますね。川内原発が再稼働するときにゲート前に来てましたよ。元首相でここまでするという人はなかなかいない。

鈴木 もともと市民運動上がりですからね。小泉（純一郎）さんはどうですか？

ミサオ 小泉さんも力があると思いますよ。発信力は。保守層に達する。でも、あの人は市民運動と交わろうとはされないので、小泉さんは小泉さんでどんどんやってくださるといいなというふうに思いますよね。でも、できれば集会に来てスピーチしていただきたいです。

デモだけでいいのか

鈴木　ところで、反原連はデモだけやっていていいのか、ロビー活動とか、あるいは、こういうエネルギー政策でいくべきだという提言とか、そういうこともしろという批判も時々ありますよね。

ミサオ　「デモをやって何になる」というのは割と言われてるじゃないですか。SEALDsだってそう批判される。でも私たち、実はリーフレット類を結構出してるんですよ、年に何本か。今も日米原子力協定が来年7月に満期になる、それと、エネルギー基本計画が今年度末で見直しになるので、それを抱き合わせて出したり、選挙のときは、どの政党が脱原発かというチラシを作りました。それは50万部ぐらい出ました。

鈴木　でも、デモはやめない。

ミサオ　何でデモかというと、ある程度の人数がバーンと集まれば、何かしら心理的な影響を与えることは可能であろうと。署名も反原連でやりますが、署名で何万筆とかいって、箱に入れられたものを見せられるよりも、人がバーンと来たほうが嫌じゃないですか。

もともと私、あんまり政治や運動に期待してなかったんですよ、今の民主主義は機能してないと。それもあってアウトローだったんです。でも、始めてみて、3・11まではデモといっても多いときで2000人、組合が入って1000人、じゃなかったら100人みたいなことだったんですけども、3・11で、今止めないと駄目だなと思って、官邸前でやろうということにしたら、バーッと10万人を超える人が、毎週のように集まった。あれで政府が2030年原発ゼロを出すきっかけに多分なったわけなので、自分の中ではそこが、ピークだったんですよね。

この先どうしよう、原発イシューではこれ以上人が来ることはないだろうとは、もうその当時からわかっていて、次にやることを探さなきゃと思っていたら安倍政権になっちゃいまして。だから、ここで止まってるんですね、次に何をするかというのが。

個人の意見の表明が許された

ミサオ 2〜3年前ぐらいから、市民運動は市民運動であったとしても、政党を作りたいという思いはあったんですけど、反原連の活動も大変なので……。

鈴木 ちょっと待って。それ、重要だな。政党はワンイシューの政党を?

ミサオ 当初は、まだ脱原発が多分市民運動で一番のメインイシューだったので脱原発党を考えていたんですが、ここ最近、仲良くしてもらっている有識者の人たちと、リベラル政党を作りたいねという話を本気でしていたんです。そうしたら、あれよあれよという間に総選挙になって、リベラルの受け皿ができた。だから民進党の代表戦のときも、枝野さんに応援メッセージを出しました。

鈴木　そういうメッセージを出すこと自体は、反原連の無党派性と抵触しないの？

ミサオ　そこなんです、本当は抵触しているんです。ただ、かつて何万人も来てたころは、運動を割っちゃいけないというので、私個人の意思表示をできなかったんです。都知事選の時も、運動の中には宇都宮さんの支持者もいるので、私が細川応援と言ったら反感を買っちゃう。当時はそうだったんですけど、ここのところ参加者も安定路線というか、本当に純粋に原発を止めたい人しか残ってないので、これ以上参加者が減ったり割れたりすることはないだろうと、1年ぐらい前に会議で諮ったら、みんなケロッと、「やってください」と。

鈴木　それは政党を作るということ？

ミサオ　じゃなくて、私が誰を支持しているかを表明する。

政党を下から突き上げないと……

鈴木　ミサオさんが選挙に出るということはないの？

ミサオ　声がかかったことはあったんですけど……。今は反原連よりSEALDsが注目されてるので、声も全然掛からない。ただ、声を上げたのを国会、官邸につなげないと意味がないと思っているので。だから私は、「プロ市民」と名乗っているんですが（笑）、プロ市民がどんどん政党を下から突き上げないと。と言うか、まじめに立憲民主党の党員になろうかと考えてるんです。

鈴木　党員といわず、日野をバックに都議選に出てくれ、という話になるんじゃないですか。

ミサオ　いや、議員は向かないんじゃないですかね、タトゥーとか入ってるし（笑）。

鈴木　反原連内部で、例えば立憲民主党の旗とのぼりを持って、独自のビラを配るなんていうことはできるんですか。

ミサオ　それはできないです。たとえ私が党員になろうとも、そこはやっぱり団体のルールはあるので。私が党員になったからといって、反原連が立憲民主党の付属グループになるわけではないですから。反原連はあくまで無党派なんですよ。超党派と言ってもいいんですが。どこかの政党を優遇するわけではない。

国家は透明なほうがいい

ミサオ　私から最後に質問していいですか。鈴木さんが理想とする社会というのは？

鈴木　ないですよ。それを考えることがおかしいんじゃないかなと僕は思ってるんです。そんなことやったら、例えば自民党の憲法草案だけが注目を浴びてるけども、産経新聞と読売新聞も出してるんですよ。産経新聞には、道義国家日本を目指す、と書いてある。

ミサオ　ドーギ？

鈴木　道義。でも、それだったら、国家がイデオロギーを国民に押し付けるわけだから社会主義国家と変わらない。国家は透明でいいんじゃないですか。それで個人の自由さえあれば。あと、国家は戦争をしない、それだけでいいんじゃないですかね。それなのに、国家は強くなくちゃいけない、北朝鮮に負けちゃダメだ、韓国に負けたらダメだ、と。そういうことを言うこと自体が、やっぱり間違っているんじゃないかなって。

ミサオ　私もそう思います。すごい広義的な意味でのアナーキズムというか。

鈴木　ああ、いいですね。

ミサオ　私もそれが理想なんですけど。そもそも何で法律が要るんだとか、そういう、もう切りがないんですけどね。やっぱり人がちゃんとしてれば、一人一人が、そういうものがなくても。夢のような世界ですけどね。

対話 No.8

松本麗華
（心理カウンセラー）

まつもと・りか　１９８３年生まれ。オウム真理教の教祖・麻原彰晃の三女として生まれる。オウム真理教の信者が住民票の不受理にあい、小学校・中学校へは通うことができなかった。父の逮捕のあと、後継者とみなされる時期もあり、教団内部のさまざまな思惑に翻弄され、自身も迷走。入学が許された文教大学で心理学を学んだ。オウム真理教の解体以降は「どこの団体とも関係していない」と言明。２０１５年には半生を振り返った『止まった時計』を上梓。19年、加害者の家族との連携を求めた社団法人「共にいきる」を鈴木邦男（理事長）とともに設立。

写真＝平早 勉

死刑囚を描いたマンガ作品に共感

オウム真理教の起こした事件で死刑判決を受けた13人のうち7人が、東京拘置所から各地の拘置所へ移送された「分散処遇」から間もない4月。かつてアーチャリーとも呼ばれた麗華さんは求めに応じていくつかのメディアで心境を語ってる。それらへの言及はそれぞれのメディアに任せることとし、この対話では、麗華さんが「鈴木さんにぜひ読んでほしい」と、二つのマンガ作品*を俎上に上げた。

〈2018年4月14日〉

*『天上の弦』(作・山本おさむ)
日本統治下の朝鮮南部・慶尚北道で生まれた陳昌鉉が世界的バイオリン製作者として成功するまでの実話をもとに描かれた長編マンガ。日韓の歴史を横糸に、差別に苦しみながら独学でバイオリン製作に励む少年の成長を縦糸に紡がれる大河ドラマだ。

*『死刑囚042』(作・小手川ゆあ)
死刑囚に人間的心を取り戻させるために、興奮して殺意を抱くと爆発するチップを頭に埋め込まれたうえで、高校へ用務員として送り込まれた主人公。そこで出会った盲目の少女らとの交流を経て……という近未来マンガ。この社会実験を提案した法務省の研究者など、多彩な人物が繰り広げるヒューマンドラマ。結末は苦い。

マンガならではの心情表現

鈴木　こういう切り口で死刑の問題を扱ってるものがあるとは知らなかったですね。マンガだからできる手法かもしれない。どうやったら死刑囚に人間らしい心を取り戻せるかという実験マンガだし、また今、死刑になる人の心情が残されてないでしょ。それを試みてる。マンガはいろんなことを考えられてすごいなと。

『天上の弦』も、山本おさむは『はるかなる甲子園』とか読んでいたけど、これはすごいですね。日韓の民族問題を、今の日本みたいに、単にぶつかり合うだけじゃなくて、またそれを政治家が利用して「だから我々は国を守らなければならない」とか言うだけじゃなくて、違う民族のわかり合う手段として、音楽・バイオリンを媒介にして考える。いい補助線だなぁと。マンガはビジュアルだし、頭に残る。その点、我々、ものを書くのは、頭に残らない。そういう悔しさを感じました。

松本　『天上の弦』は、死刑確定者の林泰男さんにいただいたんです。マスコミには、〝殺人マシン〟などと言われましたが、気立てのいい兄貴分みたいな人。人当たりはソフトで、世界中、バックパッカーみたいな旅をした人ですね。出家前には、お母さんと一緒に世界中を旅したそうです。お母さんが嬉しそうにお話されていました。

鈴木　いつ、このマンガをもらったの？

松本　10年以上前、大学生のころですね。そのころの私は、「日本」という国が、法律を守らないで、私たちに対していろんな権利を侵害してきたにもかかわらず、国家に対しては「あるから安心」みたいな、固定化した思考をしてたんです。その前に「キリング・フィールド」（カンボジア内戦をテーマとしたイギリス映画）を見て、少し変わりかけてはいたんですけど、国というものに「絶対にゆるぎないもの」という感覚を持っていました。

そんな中、『天上の弦』を読むと、政権、権力が一日にして入れ替わることが描かれているわけですね。朝鮮戦争では、最初中国・ソビエトに支援された北側が攻めてきて、北側についたほうが得だとその権力にこびへつらった人たちが、同胞の南側の人を殺したりする。ところが国連とアメリカに支援された南側が盛り返すと、北に取り入っていた人たちが罪に問われて殺されていく。そういうのを見たとき、国家というのは一つの思想、価値観によって形作られるに過ぎないことが腑に落ちたんです。

私の父や知り合いの死刑が確定するころに、『天上の弦』を読んでいたんですが、国というものは、流動的で、確固としたものではないと感じるようになりました。また、「国」というと、ドライでシステマチックなものというイメージがあったのですが、恣意的というか、人間の感情的な判断が入り込む余地があるんだということを感じました。このころ、父の病気の治療を裁判所に求めていたのですが、裁判所は弁護人の立ち会いなく父と会い、父が話は理解しているし、目が見えないという印象は受けなかったと、目も見えることにしてしまいました。公開の法廷ではない場所で、お医者さんでもないのにです。裁判所はとにかく、父に訴訟能力があることにしたかった。当時はマスコミによる「詐病」のイメージのほうが強くて、6人もの精神科医の方が、拘禁反応にあり、「訴訟能力なし」と判断したにもかかわらず、全く思慮されないという状況でした。このときに国家とはそもそもそういうものなんだと思い至りました。

義務教育の就学拒否など、国による人権侵害をこれだけの経験をしている私が気づかないんだから、一般の方からすると、「国がやってることなんだから正しい」と信頼していて、疑問を差し挟んですらもらえないんだと、ある種、絶望を感じたこともあります。……涙が止まらなかったですね。

『モリのアサガオ』には途中から疑問が

鈴木 死刑をテーマにしたマンガって、他にもあるんですか？

松本 いろいろありますけど、当事者の私からすると、当事者の心情を知らない人が描いた独善的なマンガが多いですね。『モリのアサガオ』（死刑囚舎房の担当となった新人刑務官がさまざまな死刑囚に触れるうちに……郷田マモラ著）も途中までは当事者にも寄り添ってるんですが、途中から、わからなくなる――

鈴木 死刑賛成のマンガだから？

松本 死刑についてとてもいい問題提起のマンガだと言われているんですが、死刑になるような罪ではないのに死刑を受け入れていくみたいな内容で、「えっ？ どうして死刑を受け入れるのがいさぎよいことなんだ？」と、意味がわからなかったです。どうしてああいう結論になったのか、お話を聞いてみたいですね。

鈴木 子供たちが読んで、わかるのかな？

松本 う〜ん、わかるんじゃないでしょうか。『死刑囚０４２』は絵がかわいいから、軽い気持ちで買ったんですが、ちゃんと当事者の気持ちを想像して描いていて、素晴らしかったですね。

ルールを守って裁いてほしい

鈴木 最近、あなたはよくテレビに出てるね。重いテーマだけど、あなたがしゃべると、状況が変わりますね。

松本 そう思われますか。思った事をうまく話せるといいんですが、難しくて。このマンガを読んでいただきたいと思ったのは、犯罪を行った人でも、全て悪に染まった人だというわけではなくて、この主人公のように、やさしいところもあるし、それだけじゃなくて嫌なところもあるし、人間臭い人たちなんです、私が知っている人は。

鈴木 あなたはいっぱい知ってるけど普通の人は生身の死刑囚に会うことはないから。

松本 このマンガを通して、いろんな死刑確定者がいるんだなと思っていただければ。リアリティがあるんです、このマンガは。感情を押し殺すところとか、結末にもリアリティがあって。たぶん、マンガのような状況になったらああします、と当事者の私が思えるマンガなんです。すごいマンガ家ですよね、お目にかかってみたいです。

寄り添ってきた人間が取り残されちゃうという、……やり場のない気持ちを持つということを、ちゃんと描いている。ジャーナリストの堀潤さんが、ラジオで死刑の執行について「罪を犯した本人ではない家族の皆さんもともに心の処刑をされてしまうんじゃないか」っておっしゃってましたが、「私がこんなに苦しいのはそういうことなのかも」って思いました。犯罪を行った人が執行されるのが死刑制度ですが、周りの人達の心もボロボロになっちゃう。それはリカバリーできない傷として残る。

私の場合はその上、父と23年、話もできていないんです。父は一審の早い段階から精神的におかしくなり、弁護人と意思疎通が計れなくなりました。法廷にもオムツをつけてくるようになり、何も言わず、眠っているような状態でした。映画監督の森達也さんは判決の傍聴をしたそうですが、一見して精神が崩壊していると思い、同じく傍聴していたマスコミの人も同じように受け止めていたと『A３』に書いていました。本来だったら裁判を止めて、治療して、その上で続行するのですが、父の場合はそれがなかった。それは実質的には違法です。控訴審では括弧付きの精神鑑定が行われ、訴訟能力があるとされました。括弧付きの精神鑑定と言っているのは、刑事訴訟法上必要な手続が踏まれていないんですね。しかも、弁護人が控訴趣意書を提出すると約した期日の前日に、裁判所は控訴棄却しました。そういう異常な手続が続いて死刑が確定しました。弁護人が依頼した精神科医は、昏睡状態の一歩手前の昏迷状態にあると診断されていて、拘置所は治療をしていないと言っていますから、現在も昏迷状態にあるのはほぼ間違いなく、受刑能力がない状態です。

私が本当に言いたかったのは、一部の人たちですけれども、オウムの人達が事件を起こした。それは法律に反しているし、許されないことだ、だから裁く。それはわかる。でも、ルールを犯したから裁くんだったら、どうかルールを守って裁いてほしい。それを国家が「麻原だから」「オウムだから」ということで、ルールを守らずに裁くんだったら、私のこの気持ちはどうしたらいいんだろう。たとえルールに則って裁かれて、死刑になるとしても、受け入れがたい苦しみがあるのに。しかも、父が本当に指示したのかどうかもわからない、そういう状況に置かれているということも……言葉にできないくらい辛いことです。仮に死刑が執行されてしまったら、国家による計画的、かつ多くの人がかかわっている殺人ということになってしまう……。

金曜の夜が来ると「ああ今週も無事だったか」と

鈴木 アメリカだったら、女子大生が死刑囚に会って取材できたりしますよね。

松本 カメラが入ったらなぜ悪いのか。あまりにも不透明。拘置所や刑務所がどうなっているのか、死刑の執行がどうやって行われるのか一般の人はわからない。今の制度だと、死刑の執行後に家族に連絡があるので、ゆっくり寝られるのは土日だけ。

鈴木 ああそうか、土日は（執行が）ないんだ。

松本 だから金曜日の夜が来ると、今週も終わった、とりあえず生きてたと。

鈴木 聞きにくい質問だけど、オウムの死刑確定者の分散処遇が始まって、死刑執行の準備じゃないかというウワサも飛んでますが。

松本 共犯者の裁判が終わったら、分散するのが普通だとも言われてますが、今の報道を見ると心配な状況ですね。まず父から執行されるという説もありますから。今回、分散処遇されたと知ったのは遅かったんですが――

鈴木 ああそうか、発表するわけじゃないんだ。

松本 そうですね、連絡もないので。知ったとき、何が起こったかわからなかったですね。一瞬、執行されちゃったんじゃないかという錯覚も起きて、背筋が凍りました。手が震えて、何もできない。体も冷えてきて。どうしようって、泣き崩れて……。お世話になっている弁護士の先生に電話すると、取り乱してる私を、「あなたがしっかりしなくちゃダメでしょ！」って叱り飛ばしてくださって。確かにそうだなぁと……こういうときこそ、普通に行動しなくちゃいけないと。

心理学で救われた

鈴木 一連の報道の中で、二人が写っても、お姉さんは顔にモザイクかかってますね。

松本 というより、私は出していいですよ、ってことですね。

鈴木 麗華さんは本も出しているし（２０１５年『止まった時計』）、覚悟があるんですね。

松本　覚悟というより諦めたってことですね（微苦笑）。黙ってたら、今ごろ私、アレフの幹部ですよ。こうやって、お話する機会も頂けてるので、「麗華さんの話聞いてたら、報道は違うよね」と思ってくれる人もいますけど、私が顔を隠したりモザイクをかけたり、名前も出さないでしゃべってたら、「そうは言うけど、やっぱり彼女はアレフの人でしょ」ってイメージにどうしてもなっちゃう。こういう形でしか、生きる道がなかったですよね。

鈴木　普通だったら、ぐれちゃって、右翼になるか——

松本　右翼、受け入れてくれますかぁ？（笑）

鈴木　それなのにヤケにもならないで。

松本　ヤケになる余裕もないんですよ。ヤケになりたい！

鈴木　えらいなぁ。それは心理学を大学でやったことと関係あるんでしょ。

松本　心理学を学んだから本も書けたと思いますし、社会で起こってることを比較的冷静に見られたと思います。

人生相談、始めます

——今度、皓星社のホームページで、人生相談を始めるそうですね。

松本 そうなんです。もう公開されています。

——1回目の相談は、実際に皓星社の女性編集者晴山さんが、麗華さんにプライベートで相談したことだとか。

松本 はい。会社の部下の方に関するご相談でした。

——麗華さんの回答に、彼女が本当に助かったそうで。

松本 そのときの質問も、その経過も、素晴らしい文章で載せてくださって。晴山さんとおっしゃる、私より少し若い女性なんですが、素晴らしいと思いました。本当にありがたいです。

鈴木 ええ、それ読みたい! 俺の人生相談も聞いてくれるかな。

松本 怖い質問は無しにしてくださいね(笑)

対話 No.9

入江 杏

（「ミシュカの森」主宰）

いりえ・あん　1957年東京生まれ。「ミシュカの森」主宰。2000年末に起きた世田谷一家殺人事件により、隣地に住む妹一家四人を失う。葛藤の中で「生き直し」をした体験から、「悲しみを生きる力に」をテーマとして講演・勉強会を開催。「ミシュカの森」の活動を核に、悲しみの発信から再生を模索する人たちのネットワーク作りに努める。著書に『悲しみを生きる力に〜被害者遺族からあなたへ』、絵本『ずっとつながってるよ〜こぐまのミシュカのおはなし』他。上智大学非常勤講師、世田谷区グリーフサポート検討委員。

「被害者遺族」のイメージを超えて

2000年大晦日に起きた世田谷一家殺人事件によって、実の妹家族4人を失ったご遺族の入江杏さん。入江さんはその後、犯罪被害からの回復、自助とグリーフケア（さまざまな「喪失」を体験し、大きな悲しみを抱えた方々と心を寄せて、寄り添い、受け入れて、その方々の立ち直り、自立、成長、希望のために支援すること）に取り組む活動を行っています。世間からの「被害者遺族はこうあるべき」という視線、そして社会での「悲しみ」の共有へと話が広がります。（構成／マガジン9編集部）

〈2017年9月27日〉

「被害者遺族はこうあるべき」

鈴木　初めまして。今回は入江さんから「お話したい」とおっしゃっていただいたわけですが、またどういう理由でしょう？

入江　鈴木さんの本は、内田樹さんとの対談なども含めていろいろ読んでいるんです。私は悲しみの体験をして被害者遺族の立場になったことで、段々と社会的な関心を持つようになりました。鈴木さんは「右」から「左」になったとか言われていますけど、きっと鈴木さんご自身は変わっていらっしゃらないんだろうなと思います。私自身も、何も変わっていないのに「被害者遺族」ということで周りからいろいろなイメージをあてはめられた体験があって、そういう部分でも鈴木さんとお話してみたいと思っていました。

鈴木 それはありがとうございます。普通、リベラルな一般の方というのは、僕のような右翼には会いたがらないんですけどね（笑）。だからうれしかったです。入江さんは「世田谷一家殺人事件」のご遺族として知られているわけですけども、2000年12月に隣地に住んでいた妹さん一家4人が殺害されて、いまも犯人さえ特定されていない未解決事件のままなんですよね。

入江さんが書かれた、『悲しみを生きる力に――被害者遺族からあなたへ』、『この悲しみの意味を知ることができるなら――世田谷事件・喪失と再生の物語』を読みましたが、とても感動的でした。そこまでどうしたら強くなれるのかな、と。それから、世間からの「被害者遺族はこうあるべき」という視線があって、それに合わない人を誹謗中傷する人がいるという話もありましたが、いまの日本の風潮を考えるとすごくよくわかりますね。

入江 ありがとうございます。でも、私は全然強くないんですよ。これらの本は、被害者遺族の手記というジャンルに分類されてしまうのかもしれませんが、もっといろいろな読み方をしてほしいと思って書きました。実際に、「グリーフケア」という悲しみを支える活動をしている大学などの学びの場、NPOを含めた各地の団体があるのですが、そうしたところで教材のような形で使われることもあります。あるいは全く悲嘆経験のない、たまたま手に取った若い方々からも「直接響く心への語りかけ」という捉え方として、さまざまに読んでいただいています。

鈴木 そうですか。被害者遺族の集まりのことは、僕はよく知らなかったんです。当事者の方たちで集まることが多いのだと思いますが、この本のように一般の人に向けて何かを伝えるということは、これまで少なかったのではないでしょうか。

入江 あまりなかったかもしれないですね。世田谷の事件が起きた当時は、まだ被害者遺族の権利については取り沙汰されていませんでした。被害者やその遺族のことが社会的に注目されるようになったのは、2000年以降だったと思うんです。被害者の遺族報道のあり方も変わってきていて、事件報道だけでなく、遺族に焦点をあてた報道も増えています。

そういう中で、被害者遺族だけの問題に困ってしまうのではなく、「悲しみ」をキーワードにいろいろな人をつないでいけないかと思うようになったんです。「あの人たちの悲しみは自分には関係ない」と距離を作らないためにも、あるいはかかわり方がわからない人のためにも、どうすればいいかと考えてきました。人生の中で悲しみを体験していない人はいません。誰もが持つ当事者性に気づいてほしいという気持ちで書いた本です。

加害と被害の狭間で

鈴木　入江さんのプロフィールにありましたが、上智大学のグリーフケア研究所というところにいるんですか？

入江　はい。研究所では当事者の気持ちを少しでもご理解いただけるように、対人援助の基本についてお話しています。行政のグリーフサポート検討委員というお役目もいただいていて、グリーフサポートの普及にも努めています。『悲しみを生きる力に』という本と同じタイトルで講演をしたのですが、私の講演を聞いたことがグリーフケアやグリーフサポートの問題に関心を持つきっかけになったとおっしゃってくださる方もいて、全国にたんぽぽの種がまかれるように広まりつつあります。

また、「人権の翼」という、加害者の人生のやり直しや再犯防止を考える活動もしています。私自身は、世田谷の事件は未解決ということもあり、「曖昧な喪失」の中に身を置いているので、加害者に寄り添うとか、和解するとかは、とても言えないのが正直な心情です。ただ、更生教育に向き合っている方々には共感するところも強くて、私はそのサポート役という感じでしょうか。でも、同じ被害者遺族の中でも、「加害者に寄り添う」ということが受け容れられないという人もいます。

鈴木 被害者遺族の方、またそれを支えるグループの中でも、いろいろ議論や反発が起こるでしょうね。

入江 議論になれば、ある意味良いのかもしれませんが、議論にならずに疎外していくということもあります。それは残念ですよね。

鈴木 入江さんはどう考えているのですか？

入江 そうですね……。先ほど申し上げたように、私は未解決事件の被害者遺族で「曖昧な喪失」の中にいます。もし実際にいま加害者が目の前に現れたら、自分がどうなってしまうのか全然わかりません。でも、加害者に寄り添うという考えの方がいてもいいんじゃないか、というのが私の立ち位置です。絶対に許さないというお気持ちを持つ必罰・応罰的なご遺族とも縁がありますし、加害者との対話も視野に入れる修復的傾向のご遺族とも親しくしています。全ての方を「被害者遺族」とひと括りにするのはどうなんでしょうか？　応報、修復という二項対立ではなく、柔軟に豊かな論議を……という立場です。

怒りは消えないが、憎しみの連鎖にしたくない

鈴木 僕は被害者遺族でいうと、原田正治さんに何度も会ったことがあります。入江さんにもぜひ会ってほしいですね。1983年の事件ですが、原田さんの弟さんは保険金目当てに殺害されています。刑務所にいる加害者から、原田さんのところに何度も何度も手紙が来たんだそうです。絶対に読むものか、会うものかと思っていたのに、あるときちょっと読んでしまった。そして事件から10年経ってついに会いに行くんです。

原田さんは最初「極刑を望む」と言っていて、実際に死刑の判決が出たんですが、途中から死刑制度に反対するようになります。許したわけじゃないのだけど、死刑制度に対して疑問を持っていく。そうすると、今まで原田さんを支えていた人たちが「何だ」と思っちゃう。みんな同じ方向を向いて「犯人は許さない、死刑にしてくれ」と言ってるときは団結していたのに、それが変わっちゃうと「自分だけいい格好して」と言われてしまうんですよね。

入江 原田さんのお話は聞いています。原田さんと同じように修復的なお立場の中谷加代子さん（2006年に起きた「山口女子高専生殺害事件」で長女を失った被害者

遺族）という方とご一緒させていただいて学び、活動をともにしています。
死刑というものに対して廃止か存続か、という二項対立からは豊かな論議は生まれません。大変重い苦しみの前に、ましてや非当事者は沈黙せざるを得ません。当事者の方々にとっては人生が覆る大きな体験なので、人それぞれに異なる思いがあるのは仕方ありません。世間の「被害者遺族はきっとこうだろう」というイメージには、私も葛藤を感じてきました。
もちろん怒りはあります。それは必ずしも消えたわけじゃありません。でも、怒り＝憎しみの連鎖というふうになってはいけないし、怒りが憎しみに向かわないようにするというのは、当事者のためでもあると感じています。

鈴木　テレビ番組なんかでは、「お前らは被害者遺族の気持ちがわかるのか」と怒鳴ってる人がいますよね。原田さんも、仲間と死刑反対の署名運動をやっていたら、通りがかりの人が「お前に被害者遺族の気持ちがわかるのか！」と怒鳴ってきたことがあった。それで「この人が被害者遺族ですよ」と仲間が言ったら、その人は慌てて逃げていったそうです。

入江　ニュースとか新聞でも、すごく「わかりやすさ」が求められているんだなと感じます。一部分だけが切り取られてしまうので誤解を受けたり、「被害者遺族らしくない」「なぜ笑っているの？」と戸惑われたりする。そうすると、こちらも萎縮してしまい、わかりやすくしていなくちゃいけないのかなと思ってしまう。まあ、なるべく意識しないようにしていますけれど……。

鈴木　被害者遺族だといっても、普通の生活もあるわけですよね。僕も被害者遺族に対して、同じようなイメージで見ているところがありました。でも、入江さんの本を読んで、そうじゃないんだと気づきました。イメージと違うことを言ったり、考えたりするとバッシングする、そういう日本社会はひどいなぁ。

そういえば、少し前にテレビ番組で何かトラブルがあったそうですが。

入江　ええ、2年くらい前です。未解決事件を捜査するTV番組で世田谷の事件を取り上げたいと言われて、ちょっと不安もあったのですが引き受けてしまったんです。ある程度信頼している人からの申し込みだったのと、事件から時間が経って取り上げられなくなっていたので、風化してしまうのではというのもありました。

でも、番組を見たら、私が言ってもいないことを言ったかのようにテロップやナレーションなどで編集されていて……。すごく腹が立ちましたし、恐ろしいと思いました。「悲しみ」が消費の対象にされてしまい、こちらには自己決定権がない。しかも、相手から開口一番に言われた言葉が、「すごく視聴率が良かったですよ」だったんです。

鈴木　視聴率ですか。

入江　最初に言うことがそれなのか、と思って。結局、放送倫理・番組向上機構（ＢＰＯ）

の放送人権委員会に審理を申し立てたんですが、それも大変でした。ＢＰＯから勧告が出ると、テレビ局は「勧告を受けました」と放送しなくちゃいけないんです。でも、それだけ。一度放映されてしまったイメージは回収できません。これをきっかけに、メディアは被害者や事件事故をどう取り上げていくのか、ちゃんと考えてほしいと思います。

当事者だけの悲しみにせず、多様なつながりを広げるために

鈴木　入江さんが開催されている「ミシュカの森」というのはどういうものなんですか？

入江　「ミシュカの森」は、２００６年から毎年、事件のあった12月に開催している催しです。いろいろなゲストをお呼びして、亡き家族と出会いなおすという思いで続けてきました。「ミシュカ」というのは、殺された姪と甥が可愛がっていた小熊のぬいぐるみの名前で、再生のシンボルでもあるんです。これまでに、作家の柳田邦男さん、先日帰天された医師の日野原重明さんはじめ、イラストレーターのエムナマエさん、哲学者の山脇直司さん、教育家の副島賢和さん、批評家の若松英輔さん、作家の平野

啓一郎さんや星野智幸さんなど、さまざまな方にお話をしてもらっています。今年は小児がんの治療に携わってきた医師で作家の細谷亮太さんをお招きします。
事件を風化させたくないと思っていても、関心を持ってくれるのは、遺族や警察、マスコミに限られてしまうんですよね。被害者やその遺族だけの集まりだと、「他の人は関係ないんだ」と思われてしまいます。だから、いろいろな人が集まれる催しにして、事件にかかわっていきながら、多様なつながりを広げていく場にしたいと思ってきました。今では「ミシュカの森」はイベントの名前というだけでなく、ネットワーキングの足がかりとなって、多くの方々とご縁を作るようになりました。ありがたいことです。

鈴木 うかがっていると、入江さんはいろいろな立場の人を受け入れる許容量がすごいですね。ナチスの収容所にいたヴィクトール・E・フランクルが、『夜と霧』という本で「潜水病（潜函病）」の話を書いていました。ここで書かれている「潜水病」とは、異常に高い気圧の深海に潜っていた潜水労働者が突然上に来ると肉体的にも意識的にも故障がくるように、長い間強い圧迫を受けていた人が急に解放され、場合によっては精神や健康を損ねてしまうことです。例えば、「長い間弾圧されていたんだから、少しくらい社会秩序を破ってもいいだろう」と考えてしまい、自分勝手なトラブルを起こす。そういう人は、左翼にも右翼にもいっぱいいますよ。

入江 「潜水病」は、初めてお聞きしましたが、なるほど……。「これだけ悲しい目に遭ってるから復讐していいし、その権利が与えられているんだ」という思いと同じですね。それは「破壊的権利付与」といわれるもので、家族療法では基本概念のひとつです。

私自身は、「悲しみ」をキーワードに活動していくうちに、事件事故、自死遺族や終末期ケア、貧困問題など、多方面の社会活動にかかわるようになりました。その中で、「当事者だけを囲い込んで悲しみを背負わせてはならない」と感じるようになったんです。私はたまたま犯罪の被害で妹たちを失ったけれども、理由は違っても悲しみということでは同じ思いをしている人たちがいます。

あるとき自死のご遺族の方から「入江さんの家族は殺人事件で亡くなったんだから同情されやすい。私の娘は勝手に死んだんでしょと言われてしまうんです」と言われて、それはとてもつらかったですね。殺人事件の悲しみと自殺の悲しみ。悲しみの多寡は計れず、比較もしない、ということがグリーフケアの基本のアプローチですが、自殺とか貧困とかを「自己責任でしょ」と責める人がいます。何度も死にたいと思った私ですから、目の前にいる悲しみを抱えた人を大切にしたい。社会の無関心、無知をきちんと知ることで、関心に変えていくことが、目の前にいる人の悲しみを大切にすることだと思うようになったんです。

鈴木 すごいなあ。よくそんなふうに考えられますね。

入江 いえいえ……こんなふうに言っていても、また明日には気持ちがダメになっているかもしれません。先ほどの潜水病の話でいえば、すごい水圧を受けてきたわけですから。殺人事件で、しかも未解決。警察にはしっかりして欲しいと思います。「社会なんか何もしてくれなかったじゃないか」という気持ちになったこともありますよ。でも、多くの人の温かさで社会への信頼を取り戻していく過程で、自分が何もしないではいられなかったんです。

悲しみの水脈の広がりに気づかされる瞬間

鈴木 40年前に、2・26事件にかかわった元軍人の末松太平さんが言っていたんですけど、事件のころに比べていまは社会に同胞感がなくなったと。かつては、軍隊が雪の八甲田山で軍事演習して亡くなったときは、国民みんなが家族のように悲しんでいたと言うんです。そういう同じ悲しみをともにする気持ちがあったのに、今は全然ないじゃないかと言っていました。

この話から40年経っていますので、今はもっとないでしょうね。安倍（晋三）さんとか、「自己責任」と言ってすぐ見放すじゃないですか。ジャーナリストが海外に行ってテロリストに処刑されたりすると、「なんとか助けよう」ではなく「ほら見ろ」というような風潮がある。それはやっぱり怖いと思います。

入江 怖いですよね。でも、希望もあると思います。大震災が起きたときには、ボランティアに行った若い人がたくさんいましたよね。ある意味では、自分が共感疲労を起こしちゃうくらいに、悲しみに寄り添った人たちもいました。今だって誰かに「もっとかかわりたい」と思ってる人たちはいると、私は感じているんです。だけど、私たち大人や社会が、そういう若い人たちの心にうまく寄り添えていない部分もあるのかもしれない。悲しみの水脈の広がりに気づかされる瞬間があります。そうしたときをとらえて、「悲しみ」は「愛しみ（いつくしみ）」なんだ、という思いを語りかけ、社会に響く言葉として紡げるようになっていけば、鈴木さんのおっしゃる「同胞感」が野火のように広がるのではないでしょうか。

鈴木 なるほど。そうかもしれません。うーん……、入江さんはやっぱり本物の「愛国者」なんですね。

入江 えっ、私が「愛国者」ですか？ そんなことは、考えたことも言われたこともありませんけれど（笑）。

鈴木 ご自分ではそういう言葉は使わないだろうけど、聞いていてそう感じました。いやあ、お会いできてうれしかったです。

入江 こちらこそ。お話ができてよかったです。どうもありがとうございました。

3

鈴木邦男さんへの手紙

2年間の密着

中村真夕

鈴木さん、2年間、密着させていただいてありがとうございます。何度もお家に足を運ばせていただいて、面倒臭い質問にも忍耐強く答えていただいてありがとうございます。

鈴木さんの謎に迫ろうと、2年間、密着してきましたが、未だに謎が解けた気がしません。

謎は深まったような気がします。ただ分かったのは、挫折と失敗を繰り返す中から、鈴木さんが自らの『愛国心』や『愛や正義』に対して客観的な目を持つことができ、様々な価値観を持つ人たちを受け入れられるようになったことでした。そして社会から排除されている人たちにさえ優しく手を差し伸べられる器の大きさと、人としての覚悟を教えてもらいました。

鈴木さんが様々な価値観や背景を持つ人たちと意見を交換している姿から、民主主義のあり方を教えてもらったように思います。一般的に「右翼」だ「危険人物」だと言われている鈴木さんから、色々な人たちが共存できる社会の可能性を見せてもらえるというのは本当に不思議だなと思います。それだけ今の日本社会が不寛容になって、生きづらくなっているからなのかもしれませんね。

学校や一般社会では教えられない戦後の歴史や、人としてのあり方を鈴木さんに教えてもらったように思います。なんとか映画で恩返しができればと思っております。

なかむら・まゆ　映画監督。コロンビア大学大学院を卒業後、ニューヨーク大学大学院映画科で映画を学ぶ。２０１５年、福島の原発20キロ圏内に一人で動物たちと暮らす男性を追ったドキュメンタリー映画『ナオトひとりっきり』で、モントリオール映画祭ドキュメンタリー映画部門に招待される。16年、ＮＨＫ国際共同制作ドラマ「東京裁判」脚本協力。鈴木邦男を追ったドキュメンタリー監督作品『愛国者に気をつけろ！』が20年２月公開。

客席の鈴木さん

香山リカ

私の知っている鈴木さんは、一水会の設立者でも、あの日本会議誕生の経緯をよく知る人でもなく、本をたくさん出していて「朝まで生テレビ！」などにも出演している言論人です。そして、鈴木さんには人としてとても大切なことを教えられました。

鈴木さんは、たとえ自分が講演、登壇しないときでも、講演会やシンポジウムにやって来て、客席に一聴衆として座っていることがしばしばあります。私はそういう姿を何度も目撃しました。司会が鈴木さんに気づき、「お、客席になんとあの鈴木邦男さんがいらしてるようです。鈴木さん、ひとことお願いします」とコメントを求めてマイクを回すこともありますが、誰にも気づかれずにそのまま終了することもあります。

あれは6、7年前のことだったでしょうか。私が登壇したシンポジウムの客席に鈴木さんの姿が見えたので、私は急いで鈴木さんのそばに駆け寄りました。

「いらしてたとは。せっかくだから鈴木さんにもひとこと発言してもらえればよかったのに。」

すると鈴木さんは「お、香山さん」と言っていつもの笑顔になり、こう続けたのでした。

「いや、今日は聴きに来ただけだからいいんですよ、いやー面白かったね。」

生意気なヤツと思われるかもしれませんが、私はその頃、自分の出番がない講演会やシンポジウムにひとりの聴衆として出かけることはほとんどありませんでした。自分の出るものだけで手いっぱい、忙しくて他の人の話を聴きに行く余裕はない、と思い込んでいたのです。

鈴木さんの謙虚な態度を見て、私はおおいに反省しました。知らないあいだに思い上がっていたのかもしれません。そう考えて予定帳を見ると、けっこうあいている夜や日曜もあります。「なんだ、行こうと思えばこういう時間があるじゃない」と気づいた私は、それから勉強になりそうなイベントを探して、自分で申し込みをして出かけるようになりました。

会場では、鈴木さんと同じように司会から、「客席の香山さん、なにかひとこと」と指名されることもあるし、誰にも気づかれないままその場を去ることもあります。ただ、自分から興味を持って出かけた講演なりシンポなりは勉強になったり刺激を受けたりで、いつも「来てよかった」と思います。

檀上で、あるいはモニターの中で語る鈴木さんと、会場の聴衆の中でニコニコしている鈴木さんは、少しも雰囲気が変わりません。私も「自分って言論人だから」といつの間にか思い込むカン違い人間にならず、いつでも誰に対しても同じ態度で接することができるような人でいたいと思います。

かやま・りか　精神科医。１９６０年北海道生まれ。東京医科大卒。豊富な臨床経験を生かして、現代人の心の問題を中心にさまざまなメディアで発言を続けている。専門は精神病理学。現在、立教大学現代心理学部映像身体学科教授、神戸芸術工科大学大学院客員教授、甲子園大学心理学部客員教授。

鈴木邦男さんとの思い出

早見慶子

鈴木邦男さんと出会ったのは1995年の9月2日の集会だ。この年、阪神大震災が起こり、オウムによる地下鉄サリン事件が起こり、何かこの日本がとんでもないことになっていた。何度も議論したオウム真理教の井上嘉浩さんが逮捕されてしまい、悲しくて辛かった生々しい記憶は今でも忘れない。何で私ではなく、井上さんなの？私だって同じような考えなのに。私は罪の意識に苦しみ、井上さんと一緒に逮捕されたほうが良かったと思った。そんな絶望の真ったただ中にいるとき、元赤軍派議長の塩見孝也さんが「左翼と右翼が一緒に集会をやるから、参加しないか」と声をかけてきた。左翼で有名な反戦自衛官の小西誠さん、テレビにも出ている遠藤誠弁護士、メディアで売れている鈴木邦男さんも出演するという。なんという豪華なキャストなのだろう。それだけではない。高校生のとき、よど号をハイジャックし、北朝鮮に渡った柴田泰弘さんも参加するという。驚いたことに見沢知廉さんもいた。彼も私と同じ戦旗派だ。裏切り者のレッテルを貼られている私と同じ立場だから心強い。戦旗派から一水会に転向し、殺人事件で逮捕されたということは聞いている。まるで私の因縁が時系列を無視して、一挙にやってきたようなとき、鈴木邦男さんに出会った。

当時の左翼は右翼と話をするだけで、転向だとか、日和見主義者と批判されるような状況である。右翼も来る集会に参加していいのだろうか。それに戦旗派から「やめた人間は活動するな」と釘をさされていたし。…それでも何かを掴むチャンスだと思って、私は司会を引き受けしまう。

案の定、戦旗派から『ファシスト』と機関紙で批判された。そういう私を鈴木邦男さんは癒してくれる存在だった。

一水会を立ち上げ、多数派の左翼にも動じないで、右翼として生きた青春時代。そして社会人になって職場を追われようとも理想に生きたいと思い、闘った男。それが鈴木邦男だ。残念ながら見沢さんが起こした殺人事件により、苦しい立場に追いやられてしまう。一水会のイメージを大切にするか、部下をとるか。もし、「あいつが勝手にやったことで、全く知らない」ということもできたけれど、鈴木さんは、見沢さんをかばおうとした。結局は逮捕されたのであるが。

そんなこともあり鈴木邦男さんは文章の力で社会を変えることを選択する。彼の文章にはリズムがあって、読みやすい。そう、大衆の心に切り込んだ唯一の思想家だ。

彼は出所した見沢さんが文章で表現していこうとしたとき、彼を励ました。それは鈴木邦男さんの人柄だろう。

あるとき、私が一水会を訪ねると「誰だ。左翼のバカ女を呼んだのは」と若手になじられたことがある。私は右翼という集団を理解したいと思ったから訪ねただけなのに。右だとか左だとかで人間を分類しても敵が増えるだけじゃないの。そんな気持ちを鈴木邦男さんは理解してくれた。彼はただ優しいだけじゃない。これまでの思想業界の古い体質と闘い、若者が活動をしやすい土壌を作ってくれた恩人である。『I LOVE 過激派』が出版できたのも鈴木さんの支えがあったからだ。ありがとう。

はやみ・けいこ　元戦旗・共産主義者同盟メンバー。8年の組織活動と7年のアジト生活を経験。1993年の春、オウム真理教と出会い、死刑執行された井上嘉浩と交流。チベット密教にふれる。人間の内面を理解するため、アメリカにあるラムサの学校に参加。その後太田龍と出会い、対談を重ね、出版する目的で、雑誌『イチゼロ』を主宰。現在「愛とお金」をテーマにした小説を執筆中。愛知県出身。東京理科大学薬学部卒業。1958年生まれ。

偶然の出会い

ユン・スヨン

「出会いは偶然ではなく必然」だと信じています。日韓友好フリーハグ活動の中、私は韓国社会が非常に非難している「日本の右翼」に興味を持ち、鈴木邦男さんの本を読んだことがあります。

韓国で一般的に知られていた「日本の右翼」と全く違う、と私は衝撃を受け、いったい鈴木邦男さんはどのような方なのかと気になっていました。そんな中、2年前ソウルで行われた「ネット右翼」に関する日本の劇団の公演の隣の席が、たまたま鈴木邦男さんだったのです。

翌日には鈴木邦男さんをガイドをすることになり、平和の少女像や安重根記念館などを訪問しました。私はその鈴木さんの姿をみて一つの疑問が浮かびました。

「私たちはお互いを充分に理解しているのでしょうか」

現社会、そして日韓関係においてもこの質問は有効だと思います。異なる意見や価値観を非難の対象ではなく「理解の対象」とする姿勢が今私たちに求められるのでないかと、私は鈴木さんとの出会いで強い感銘を受けました。

「만남은 우연이 아닌 필연」이라 생각합니다 . 한일우호 프리허그 활동 중 , 한일문제에 있어 한국사회가 집중적으로 비난하고 있는 " 일본우익 " 에 관심을 가지게 되어 , 스즈키 쿠니오（鈴木邦男）씨의 책을 읽은 적이 있습니다 .

한국에서 일반적으로 알려진 " 일본우익 " 의 모습과 전혀 다른 사실에 충격을 받은 저는 스즈키 쿠니오라는 인물이 궁금해졌습니다 . 그러던 중 , 2 년 전 서울에서 일본 연극 극단 주최의 ' 넷 우익 ' 관련 공연을 관람하게 되었고 , 바로 그 옆자리가 스즈키 쿠니오씨였던 것입니다 .

다음날 , 저는 스즈키 쿠니오씨를 가이드 하게 되었고 , 평화의 소녀상과 안중근 기념관등을 방문했습니다 . 저는 스즈키씨의 모습을 보며 한가지 의문이 들었습니다 .

" 지금 우리는 서로를 충분이 이해하고 있는가 "

현 사회 , 그리고 한일관계에 있어서 이 질문은 유효할 것 입니다 . 서로 다른 의견과 가치관을 지니고 있더라도 비난의 대상이 아닌 ' 이해의 대상 ' 으로 마주하는 자세가 지금 우리에게 필요하다는 것을 스즈키 쿠니오씨와의 만남을 통해 느끼게 되었습니다 .

윤수연　ユン・スヨン　1994年韓国デグ生まれ。嶺南大学日本文学・文化遺産解説専攻。2015年静岡大学に交換留学生として初来日。その後、京都で韓国伝統衣装チマチョゴリを着て日韓友好フリーハグを行う。2018年、2019年、フリーハグで日本縦断を達成。

邦男さんに伝えたいこと

御手洗志帆

2012年の12月頃だったか、フリー編集者の椎野礼仁さんから「鈴木邦男さんがある人との対談を懇願している」と連絡が入った。ある人とは、1970年11月25日、自衛隊市ヶ谷駐屯地の東部方面総監室にて、三島由紀夫に日本刀で背中を斬られ重傷を負った元自衛官の寺尾克美さんである。寺尾さんと面識があった私は、礼仁さんから対談セッティングの連絡係を任されたのである。すぐに寺尾さんに対談のお願いをすると「いいですよ」と快諾してくださった。

対談当日、私は寺尾さんを高田馬場駅まで迎えに行き、対談場所であるカフェまで案内した。そして、2時間以上に及ぶ対談を見学させてもらった。

寺尾さんの口からは、「背中は斬られたが、三島さんは殺す気がなかった。本当に人を殺そうとする人はあのような斬り方をしない」「私は三島さんの邪魔をしてしまった。申し訳ないことをした」という言葉が飛び出た。

邦男さんも私も驚きながらも、もしも寺尾さんが絶命されていたら、三島事件は現在のような評価のされ方ではなく、戦後最悪の殺人事件、テロリズムとして歴史に刻まれていたかもしれない…、と身震いしながら話したのを覚えている。そして、寺尾さんがお元気でいらっしゃることに何より感謝した。

これが邦男さんとの初めての出会いではなかったと思うが、この頃から邦男さんと会う機会も増え、いつの間にか〝邦男ガールズ〟と呼ばれる邦男さんを取り巻く女性の一人になっていた。

あらためて鈴木邦男さんに伝えたいことは、と訊かれたら、実に月並みで申し訳ないが、感謝の気持ちに尽きる。心から「ありがとうございます」と伝えたい。

私が主催していた三島由紀夫生誕祭や新藤兼人平和映画祭にも何度も足を運んでくださり、ゲスト依頼をしたらスケジュールを確認し、即座に引き受けてくださった邦男さん。ひょうひょうと笑いながらも、ストイックな背中を見せてくださった。1日1冊の本を読み、興味があるイベントには日本全国どこでも出掛けて行き、考えて、人と話していた。

右翼、左翼という区別が人をおかしくさせること、意見が対立する相手とこそ言葉を交わすことの大切さを、身をもって教えてくださった。

最近はよく邦男さんは元気かな、会いたいなと考えることが多い。邦男さん、また一緒に四日市に行きましょうね。今年は三島さん、森田さんの自決から50年ですね。

2月に上映されるドキュメンタリー映画、楽しみにしていますよ。
伝えたいことは山ほどあるのだ。

みたらい・しほ　テレビ番組制作ディレクター。1988年生まれ。広島市出身。青山学院女子短大卒業後、アルバイトで生計を立てながら、2012年、23歳の時に原爆・反戦をテーマにした新藤兼人平和映画祭を個人で企画・主催。以後、ライフワークとして毎年8月に開催。14年からは三島由紀夫の生誕祭を主催。テレビ番組制作会社に勤務し、ひめゆり学徒隊、特攻隊や三島由紀夫事件などの取材・制作などに携わる。広島の母校の原爆被害を取材した番組は、19年度のアジアテレビジョンアワードにノミネートされた。

2800文字の「多謝」

瀧澤亜希子

2011年3月11日、日本は未曾有の震災に見舞われ、それはのちに「東日本大震災」と言われました。当時の私はクリニックに勤務しており、書類に目を通しているところだった。

突如「グラッ」と揺れ始めたものの、始めこそ「最近地震多いねぇ」なんて呑気に話をしていたのもつかの間、それは大きな揺れへと変わり、果ては立っていられなくなるほどでした。貴方はあの日、どこで何をしていましたか。

私の人生における大きなターニングポイントとなった1本の映画は、まさしくこの直後から撮影が始まり、その年の11・25にこの世に産み落とされました。

その映画こそ『11.25　自決の日　三島由紀夫と若者たち』。

この映画作品を撮ったのが若松孝二監督でした。貴方と出会う前ずっと前に私は若松監督と会っていました。香港国際映画祭で来港していた監督をたまたま見たのは、思えばこうなる運命の序章だったのでしょうね。日本に若松孝二という鬼才がいると初めて知った日でした。

若松監督がそのとき舞台挨拶で何を話したのか、実はぜんぜん憶えていない。憶えているのは通訳があまりに酷くて自分がマイクを奪って通訳したいと思ったことだけ（笑）。それだけを鮮明に覚えています。

それから数年後、日本に帰国した私は映画『海燕ホテル・ブルー』の公開初日、若松監督に再会しました。

監督は「三島を撮りました、夏までに公開するんで、ひとつよろしく、俳優さんも豪華だし実名でやってます」と話し、予告編の上映もあった。

けれど、その時の私は何がなんだかわからなかった。

「あぁ三島かぁ、金閣寺に潮騒の、あの人かぁ」

それくらいだった私＝瀧澤がここまで三島由紀夫に魅せられたのは若松監督の映画のおかげであり、つまり若松孝二が三島由紀夫研究家＝瀧澤の産みの親で、11・25に出会った貴方が私の育ての親になったたんですね。

2011年の11・25に先行上映されたその会場で、私は初めて貴方、鈴木邦男を見ました。私がナマで見た初めての右翼でした。

三島由紀夫さんや森田必勝さんの話を、貴方は懐かしさよりも昨日のことのように話しました。それは私にとって、三島さんや森田さんへの勝手な先入観や、右翼という人に対する概念が、大胆にひっくり返った瞬間でした。

それと同時に、三島さんや森田さんと同じ時代を生きた人がこうして目の前に居るという事実が高ぶる違和感となって私を魅了したのです。

映画公開後の12年10月17日、若松監督が突然この世を旅立ち、絶望感と空虚の中にいた雨の夜、私の目の前に貴方が再び現れ、私が声をかけたのでした。

「あの、鈴木さん、鈴木邦男さんですよね」

「はい、鈴木です、すみません……」

「私、若松監督の三島の映画みました」

「えぇ……、すごいねぇ」

初めはこんな会話でしたね。

今でも、あの時に声をかけた自分を「良くやった」と自分で自分を褒めてあげたいと思う。おかげで今の私がいるし、勇気を振り絞った結果、その後の大きな「知」の財産をもたらしたのだから。

あの時の私は、もちろん8年後の自分なんて想像もつかず、自分が「三島研究家」と紹介してもらえるなんて思いもしなかったわけです。

けれども、貴方は最初から分かっていたように確実に、上手に、かつ見事に私を高め、導いてくれた。

ひたむきに生きること、群れない事、好奇心を持ち続けること、学び続けること、そして本を読み続けること。

どれも簡単だけれど、続けていくのは非常に難しいことです。それを40年も50年も続けてきたきたからこそ、貴方は唯一無二になったのだと思います。

でも、マルイを「オイオイ」と言ってみたり、枝豆があればご機嫌だったり、女性の話になると口笛吹いちゃうとか、誰よりも子供みたいにはしゃいだり、私たちの挑戦には損得なしに全力で応援してくれる。

私にはとっては、こんなに面白くてなんでも答えてくれるおじさんは周りにいなくて、それはもう夢中で、それは今も変わりません。

私は貴方の人間力・行動力全てに影響を受けてきました。

いい事ばかりじゃなかったはずの人生、悔しいことや嫌なことがたくさんあったはずなのに、いつもあなたは笑顔で、私にとって心地の良い陽だまりのような存在でいてくれる。そのことにいつも感謝するとともに、その生きざまは尊敬してやみません。

貴方はいつだって「鈴木邦男の可能性を常に極限状態にして生きてきた」のでしょう。そのやり方、考え方はすべてが「鈴木邦男流」で、それはまるでどこから見ても興味深く、それでいて難解な、「南方マンダラ」のよう。

映画監督の森達也さんが、貴方を表現した言葉があまりにも秀逸なので、紹介したいと思います。

「過激なのに穏やかだ、鋭く尖りながら円い、多くの人に愛されながら孤独だ」。

まさしくこれが鈴木邦男なのだと思います。

学び続けること、人と会い話すこと、行動し続けること、多くの人は貴方から学び、自らの「知の財産」としたのでしょう。

まだまだこれからだよ、邦男さん。

色々な河から「鈴木邦男」という豊饒の海に流れ着いた私たちが愛する「鈴木邦男」でい続けてください。

鈴木邦男の可能性の極限をこれからも見続けるために……。

たきざわ・あきこ　三島由紀夫研究家。別名・蛇田蝮子、蛇子。1979年東京都生まれ。一人っ子。99年から2002年まで香港大学へ留学、その後帰国するも日本と香港を定期的に往復する。若松孝二と鈴木邦男とに出会い、13年から三島由紀夫研究家として、上映会や対談など、様々なイベントを企画し若い世代に三島由紀夫を残す活動を続けている。本稿タイトルの「多謝」は蛇子第二の故郷香港で話される広東語で「感謝」を意味する。

4

あの人この人

平早勉の撮影ノートから

Jul. 2014

May. 2014

Apl. 2015

Apl. 2016

Oct. 2016

May. 2017

Mar. 2017

Jun. 2017

Dec. 2017

Jul. 2017

Jul. 2017

Nov. 2017

Jan. 2018

Aug. 2018

Aug. 2019

all photo by Tsutomu Hirahaya

年譜篇

鈴木邦男●戦歴

1943（昭和18年）●福島県郡山市に生まれる。税務署勤務の父親の関係で、高校の頃まで東北地方を転々とする。母が病気のとき、生長の家の祈祷により治癒したことがきっかけとなり、以降、母は熱心な信者となる。

1960（昭和35年）●山口二矢の浅沼稲次郎暗殺事件をテレビで目撃、衝撃を受ける。

1961（昭和36年）●春休みに大日本愛国党を訪問。赤尾敏総裁に面会する。

1962（昭和37年）●東北学院高校の卒業間際、「赤尾の豆たん」をストーブで教師に焼かれた仕返しに、職員室に乗り込み教師を殴る。即時に退学となる。だが、姉（母？）の懇願により、半年間の教会通いと懺悔を条件として半年遅れの卒業となる。

1963（昭和38年）

早稲田大学政治経済学部（政治学科）に入学。「生長の家」学生道場に入門。当時の「生長の家」は、右翼思想・愛国主義の活動に熱心だった。「生長の家」の「学生会全国総連合（生学連）」で書記長を務め、左翼学生との殴り合いに奔走する日々をすごす。

1967（昭和42年）

早稲田大学卒業。早稲田大学大学院（政治学専攻）に進学。

1969（昭和44年）

4月、早稲田大学教育学部（教育学科）3年に転入、森田必勝と同学科となる。

5月、全国学生自治体連絡協議会（全国学協）の結成に参加。初代委員長に就任。しかし、長崎大学の安藤巌らと対立、1ヶ月で解任される。このとき鈴木と対立したグループが、のちの日本会議の主要メンバーで、現在、自民党政権を支えている。この事件により、失意のどん底に転落するが、「生長の家」創設者谷口雅春が右派系「やまと新聞」に「鈴木君は将来、憂国の士になるでしょう！」と書き、鈴木を鼓舞してくれた。

1970（昭和45年）

早稲田大学大学院を中退。左翼運動の退潮とともに自らも敵を失う。仙台に帰郷し、書店員となる。

●夏、産経新聞社に入社。渋谷で偶然、阿部勉と会い、六畳二間の阿部のアパートに居候を開始。そこは「楯の会」会員の交流場でもあった。この頃政治活動から離れてはいたが、読書の必要性に目覚め、大量の読書を自らに課す。月に30冊必ず読むというノルマは今も続く。毎年400冊から500冊以上を読破している。

●11月25日、三島事件が勃発。衝撃を受ける。とりわけ、後輩の森田必勝の自決が、鈴木の心に重くのしかかった。森田を学生時代オルグして右翼活動の道に誘ったのは、実は鈴木だったのだ。にもかかわらず、自分たちは運動をやめ就職してしまっていた。ところが森田は、三島とともに自らの命を投げ出すまでの活動を続けていたのだ。非常なる罪悪感に襲われたという。苦悩した鈴木は、再び政治活動の場に駆り立てられて行く。

1972（昭和47年）

●5月、森田と三島の遺志を受け継ぐため、「一水会」を設立。名称の由来は、第一水曜日に集まることが多かったからという。創設メンバーは阿部勉・犬塚博英・四宮正貴、そして鈴木といった面々。年長者だった鈴木が代表となる。「一水会」主催で、森田と三島を顕彰する「野分祭」（森田必勝の辞世の歌に由来する追悼会）を毎年行う。現在は「顕彰祭」として行われている。

1973（昭和48年）

3月、防衛庁に抗議・乱入し逮捕される。この事件により、産経新聞を懲戒解雇される。

1975（昭和50年）

右派系「やまと新聞」に連載の「東アジア反日武装戦線」に関する論稿に、新左翼系出版社「ウニタ書舗」遠藤忠夫社長が注目し、「三一書房」竹村一社長を紹介。『腹腹時計と〈狼〉』として刊行される。右翼が左翼に共鳴接近した本として話題となる。竹中労や太田竜と知り合うきっかけともなる。右翼陣営からは不評を買うが、野村秋介からは高く評価される。なお、猪野健治が、野村や鈴木らを「新右翼」と呼ぶ契機ともなった。

12月、「乱世75を撃つ大演説会」が渋谷公会堂で開催される。竹中労や沼正三、羽仁五郎らとまみえる。

1977（昭和52年）

戦前活躍した右翼活動家を訪ね歩き、『証言・昭和維新運動』を著す。末松太平や小沼正といった先輩の言葉は、60年安保以降の新右翼である鈴木に深い影響を与える。

1979（昭和54年）

4月、東郷健の芝居『悲しき人類』が竹中労のプロデュースで上演。天皇を揶揄した不敬なシーンで、鈴木と四宮が客席から舞台上に乱入。

1981
（昭和56年）

9月、一水会と連携する組織として、統一戦線義勇軍が設立される。議長に木村三浩（現一水会代表）。

12月、ソ連大使館に抗議・乱入。暴力行為容疑で警視庁大崎署から家宅捜索を受ける。その際、捜索令状を破ったとして公文書毀棄と公務執行妨害で現行犯逮捕。23日間の留置生活を送る。嫌疑不十分で不起訴。

1982
（昭和57年）

9月、スパイ査問に端を発し、統一戦線義勇軍内部でリンチ殺人事件が勃発。一水会政治局長で統一戦線義勇軍書記長清水浩司（のちの見沢知廉）らが、メンバーの一人Sを公安のスパイと疑い、殴打・殺害。実行犯4名らが逮捕。清水は、服役後の1995年、見沢知廉として小説家デビューを果たす。この事件に際し、鈴木は任意同行を再三求められたが逮捕は免れた。

1984
（昭和59年）

4月、『朝日ジャーナル』筑紫哲也の連載誌面「若者たちの神々」に登場。テレビ番組「君は今、燃えているか!? カゲキ世代が激突討論」に出演。

7月、「新雑誌X」に天皇を揶揄したイラストを掲載した東郷健と再び敵対。一水会構成員が東郷を襲撃し逮捕される。

1990（平成2年）
1月に本島等長崎市長が、右翼団体「正気塾」塾生に拳銃で撃たれ重傷。翌2月、「朝まで生テレビ」で「徹底討論／日本の右翼」。小田実・大島渚・野坂昭如らリベラル派と浅沼道夫・岸本力男・箱崎一像・松本効三・四宮正貴・木村三浩、そして鈴木邦男らの右翼陣が激突。番組始まって以来の大反響、それまでの最高視聴率となる。

1992（平成4年）
野村秋介「風の会」から参院選への立候補を勧められるが、出馬せず。

1993（平成5年）
10月、野村秋介が朝日新聞東京本社で拳銃自決。

1995（平成7年）
東京・新宿に「ロフトプラスワン」がオープン。常連登壇者となり、90年代サブカルシーンの登場人物の一人となる。かつて敵側だった赤軍派元議長の塩見孝也、宅八郎、佐川一政、奥崎謙三らとも交流。政治活動家という側面だけでは語れない鈴木邦男のプロフィールが形成されていく。「週刊ＳＰＡ！」連載「夕刻のコペルニクス」が好評。

1996（平成8年）
8月、北朝鮮に行く予定が、ビザが取れず入国拒否される。

9月、タイで投獄された裁判中の田中義三（赤軍派「よど号」ハイジャック犯メンバー）に面会し激励。

1999（平成11年）
一水会代表在任中より河合塾で現代文・小論文講師、日本ジャーナリスト専門学校で講師等をつとめる。河合塾では現代文講師の同僚で左翼思想家の牧野剛と「左右討論」などを開催。

2000（平成12年）
1月、一水会新体制。代表を辞任、顧問となる。新代表に木村三浩。

2001（平成13年）
7月、田中義三の「よど号」裁判に弁護側証人として出廷。

8月、ブント（元戦旗派）の集会パネラーとして登壇。終戦記念日にTBSテレビが一水会等右翼団体の活動を特集。

2002（平成14年）
3月、自宅ドア前の洗濯機が放火される。翌日、赤報隊の前身・日本独立義勇軍名で脅迫状が届く。一水会フォーラムで「時効寸前。赤報隊の真相」と題して講演。

9月、ロフトプラスワンで元日本赤軍の足立正生監督と「9・11テロ一周年トーク」を行う。

2003（平成15年）

●2月、開戦前のイラクに赴く。反戦集会・デモに参加。木村三浩、塩見孝也、パンタ（ロック歌手）、平野悠、竹田恒泰等多彩なメンバー総勢36名。外務省の渡航中止勧告を無視しての渡航。

●3月、「赤報隊」事件の時効を控え、容疑者とされていた木村三浩・鈴木邦男が記者会見。国松元警察庁長官に公開討論を呼びかける。

●4月、「フランス国民戦線30周年大会」に招待され、木村三浩と訪仏。

2004（平成16年）

●3月、「朝まで生テレビ」で「連合赤軍とオウム」。植垣康博（元連合赤軍）、小林よしのり、宮崎学らと出演。

2005（平成17年）

●2月、文京シビックホールで「おかしいぞ！警察・検察・裁判所」に登壇。「警察の裏金疑惑と公安の実態」で大谷昭宏と対談。

●5月、ネイキッド・ロフトで「反日とは何なのか？」。塩見孝也・篠田博之（「創」編集長）と登壇。

●7月、ネイキッド・ロフトで「徹底討論！靖国神社参拝問題」。東條英機の孫東条由布子、西岡昌紀と登壇。

8月、牛込箪笥区民ホールで「終戦・敗戦60年の日本を評定する！」。喜納昌吉、保坂展人・高野孟らと登壇。

2006（平成18年）

2月、朝まで生テレビ「激論！天皇」に山本一太、小沢遼子、小池晃、小林節、宮崎哲弥、八木秀次らと出演。

4月、「たかじんのそこまで言って委員会」の「愛国心特集」に出演。

5月、『愛国者は信用できるか』（講談社現代新書）刊行。

7月、「朝まで生テレビ」で「激論・昭和天皇と靖国問題」。武見敬三、細野豪志、香山リカ、姜尚中、八木秀次らと出演。

8月、「週刊朝日」の靖国特集で木村三浩の「エセ右翼小泉純一郎に靖国参拝の資格なし！」が掲載される。同月15日小泉首相が靖国神社を参拝。批判していた加藤紘一元自民党幹事長の実家が放火され全焼。

9月、ネイキッド・ロフトで「愛国心」。保坂展人と対談。

10月、山形でのシンポ「言論の自由を考える」に500人以上の聴衆。加藤紘一、佐高信、小森陽一、早野透らと登壇。

2007（平成19年）

4月、ニューヨークでの「日本国憲法」シンポジウムに招聘される。日本国憲法起草メンバーのベアテ・シロタ・ゴードン、映画監督ジャン・ユンカーマンらと対談。

6月、一水会フォーラム「一水会35年の歩みと使命」と題して講演。『私たち、日本共産党の味方です』（筆坂秀世との共著）刊行。

8月、木村三浩と訪中。「東京新聞」終戦記念日特集で品川正司と対談。

10月、「週刊金曜日」の「右翼も左翼も西郷隆盛を好きなわけ」で佐高信と対談。

12月、社民党本部で「憲法と天皇」と題して講演。

2008（平成20年）

1月、若松孝二監督『実録・連合赤軍〜あさま山荘への道程』のイベントに雨宮処凛らと登壇。

4月、阿佐ヶ谷ロフトで劇団再生による『天皇ごっこ』。「表現・演劇・思想といろいろ」と題して高木尋士と対談。同月、木村三浩と北朝鮮を訪問。拉致問題等について朝鮮労働党幹部と意見交換。遺骨の返還、慰霊塔の建立などを提案する。

8月、新宿ロフトプラスワンで「高須基仁プロデュース〜靖国神社と東京裁判を語る」。前田日明、浅野健一、木村三浩らと討論。

10月にロス疑惑の三浦和義がロス市警本部の拘置所で急死。「林眞須美さんを支援する会」代表を三浦から引き継ぐ。

11月、中国訪問。北京大学教授らと討論。

2009（平成21年）

5月、「週刊SPA!」で「林眞須美は無罪である」特集。元警察官の北芝健、元山口組系組長の石原伸司と対談。

11月、『日本の品格』（柏艪舎）刊行。

12月、『拉致〈2〉左右の垣根を超える対話集』（かもがわ出版）刊行。蓮池透・森達也・池田香代子との共著『右翼は言論の敵か』（筑摩書房）刊行。

2010（平成22年）

2月、阿佐ヶ谷ロフトで『右翼は言論の敵か』出版記念イベント。宮台真司、斎藤貴男、篠田博之と登壇。『左翼・右翼がわかる』（金曜日）佐高信との共著を刊行。

●6月、横浜ニューテアトル前での映画『ザ・コーヴ』上映反対抗議集会で、討論を呼びかけ罵声を浴びせられる。

●7月、渋谷イメージフォーラムでの『ザ・コーヴ』上映に対する「主権回復を目指す会」による抗議活動。討論を呼びかけるが、ハンドマイクで殴られる。その後、新宿ロフトプラスワンで「『ザ・コーヴ』公開討論会」。綿井健陽、篠田博之、安岡卓治、針谷大輔らと登壇。

●9月、鹿砦社主催「鈴木邦男ゼミin西宮」、第1回ゲストに元兵庫県警刑事の飛松五男。

2011（平成23年）

●3月、北朝鮮に渡航。労働党幹部やよど号グループの小西隆裕・若林盛亮と会見。

2013（平成25年）

●2月、「週刊金曜日」で坂本龍一と「左右を超えた脱原発、そして君が代」で対談。その後、『愛国者の憂鬱』（金曜日）として刊行される。

2014（平成26年）● 1月、柏艪舎主催「鈴木邦男シンポジウムin札幌時計台」。ゲストに、北海道警の裏金を告発、警察庁を震撼させた原田宏二元釧路方面本部長を迎え「監視社会と警察」と題して対談。

2015（平成27年）● 3月、韓国を訪問。ソウル大学で「私はなぜヘイトスピーチを嫌うのか／日本の右翼がみる日本のネット右翼」と題して講演。

● 4月、韓国を訪問。笑いの内閣「ツレがウヨになりまして」の韓国公演を観劇。

2017（平成29年）● 8月、『天皇陛下の味方です／国体としての天皇リベラリズム』（バジリコ）を刊行。「人は右翼というけれど、中国人と朝鮮人をやっつけろというのが右翼なら、日本人が一番エライというのが右翼なら、核武装せよというのが右翼なら、そして『愛国』を強制するのが右翼なら、私、右翼ではありません」という帯が凛々しい輝きを放っている。けれども、今どき鈴木邦男を右翼という人がいるのか？「人は左翼というけれど、私、左翼ではありません。なぜなら『天皇陛下の味方です』から」と言ったほうがいいんじゃないのか、と揶揄する向きもある。しかし、今や天皇こそ左翼が頼りとする最後の砦ではないのか…。

2018（平成30年）

6月、「オウム事件真相究明の会」が立ち上げられる。森達也、宮台真司、田原総一朗、香山リカ、山中幸男らとともに登壇。

7月、「オウム真理教」麻原たち13人に突然の死刑執行。「お前たちがあんな集会をやるからだ」と言う人もいる。

2019（平成31年 令和元年）

3月、ウーマンリブ活動の草分け田中美津、元朝日新聞記者竹信三恵子と鼎談。満員の会場は女性が圧倒的に多い。今は破滅的な時代だと田中は怒る。

9月、「オリンピックから改憲へ!?／深まりゆく対米従属から抜け出す道は」と題する対談、政治学者白井聡と。憲法改正について、憲法そのものもなくて良い、軍隊もなくて良い。究極的な理想を語る。

2020（令和2年）

2月、東京・ポレポレ東中野で映画『愛国者に気をつけろ！ 鈴木邦男』（中村真夕監督）が公開される予定。右翼・左翼、元オウム信者など、どうしてそんなにいろんな人たちと繋がれるのか。鈴木邦男を追った初めてのドキュメンタリー映画である。

文責・杉山寅次郎

付録

匿名座談会

「愛される邦男」って、ほんと？

進行　さあ、この本では、鈴木邦男さんの魅力を女性目線から解読してきましたが、最後のコーナーになりました。鈴木さんを10年ほど追っかけているという茶娘さん、紫娘さん、桃娘さん。3名の方に集まっていただき、本音トークを展開していただきます。お3方、よろしくお願いします。

まずは鈴木さんを知ったきっかけから……

茶娘　私は邦男さんの本を読んでいて、それで「一水会フォーラム」に行ってみた。最初は誰が誰だかわからなかった。2回目くらいに声かけて、やっと話をした。「気配消してますよね、スズキさん」って。

紫娘　何の本読んだの？

茶娘　『私たち、日本共産党の味方です』。ふざけた人だわと思った。

桃娘　初めて読んだのがそれ!?

茶娘　本読んで人柄は想像した通り、穏やか。脱力しててユーモアがあって、期待した通りの人柄で安心した。

夜道でナンパ

紫娘 アタシはちょうど転職した会社の近所がみやま荘で、夏の夜にちょうど駅からみやま荘に歩いてくる邦男さんに出くわして、声かけた。

茶娘 夜道で？

紫娘 前に映画館のトークで見てからブログ「ぶっ飛ばせ」を定期的に読んでいて、ああ、会社と邦男さん家近いんだなって思ってたけど、ホントに目の前に邦男さんが歩いてきたときは緊張したワ。

茶娘 怖い人と思った？

紫娘 声かけなきゃって思う一方、声かけていいのかって思ったの。でも、今しかないとなぜか思った。

桃娘 声かけないまま終わった人もたくさんいるだろうにね。人の縁て、ふしぎ。

茶娘 じっさい話さないとどんな人かわからないものね。

紫娘 「こんばんは、鈴木さんですよね、鈴木邦男さんですよね」って声かけたら「はい、鈴木です、すみません」って。

桃娘 すみません……。

紫娘　なんで、この人謝ってんだろうって思った。

茶娘　よく謝ってるよね、クセかな。

紫娘　でも、無表情で歩いていた顔がフニャンって柔らかくなったから、そこからは話しやすかった。あれは武器だよ。

茶娘　あの、フニャンとした笑みは武器。

桃娘　みんなあの笑みで懐柔される。

紫娘　桃娘が見初めたのは？

桃娘　ワタシが初めてお話したのは２００９年10月のイベント。かなり長距離のデモの道中お話して、二次会でたまたま席がお隣でした。

紫娘　というと桃娘が一番早くに邦男さんを見初めたわけだ。

茶娘　桃娘、第一印象は？

桃娘　写真と同じ顔だな、と思った。

茶娘　フォトジェニック。ぼーっとしたおじさんと思った？

紫娘　あはははは!!!

桃娘　当時、秘書ではないんだけどカメラ係みたいなことをやってる女性がいたんです。少ししてその人から電話があって、「鈴木さんが、お会いしたいと言ってますから」と言われ、行ったのが初のワタシ的面会です。ちなみに当時はまだカメラは「写ルンです」を使ってた頃。

紫娘　桃娘、見初められたんだ!!

いっしょに街宣車乗ろう

進行　懐柔されたら即追っかけ開始ですか？

茶娘　私は積極的に関わろうとはした。

桃娘　おお!!

紫娘　え、そうなの！　茶娘すごいなあ。

茶娘　イベント行ったり、ね。

紫娘　アタシは最初それでも怖くて、「いっしょに決起しよう」とか「街宣車乗ろうよ」とか言われたらどうしようとかビビってた。

桃娘　いっしょに街宣車乗ろう（笑）！

紫娘　なんていうか、鈴木邦男という人はわかったけど、邦男さんの周りをまったく知らなかった。だから単純に街宣車乗っていると思ってたし、いつ決起するのかなとか勝手に想像してた。

桃娘　むかーしの、軍事訓練やってた一水会のイメージかな。

紫娘　いや、一水会とかも全然知らなくて、右翼イコール街宣車だったわけよ（笑）。

茶娘　木村三浩さんの本も読んでみたし、（一水会）フォーラムはおじいちゃんばかりでしょ。だから、そんなに緊迫した感じはしなかった。

紫娘　アタシ邦男さんと出会うまでは、アホのパリピだったんだ（笑）。選挙とかも興味なかったし、原発とかも全然興味なくて何をそんなに騒いでるかわからなかった。次はどこに旅しようかってそればっか考えてた。

茶娘　安心できたのは鈴木さんの周囲の人達がよかったこと。優しい人が多い。

紫娘　それはすごく納得。

茶娘　周りがやばいとダメよね。友達を見ればその人がわかる。

紫娘　でも会社が近いからときどき遭遇することがあって、警戒はしながら声かけて話してたんだ。で、あるとき四日市でイベントありますよって言われて、四日市行ったんだよねー。

桃娘　森田必勝さんの追悼イベントですね。

紫娘　初めて行った四日市で飛松（五男）さんに会ったし、いろんな人に紹介された。森田必勝さんのお兄さんに会ったときはチビッた。邦男さんてアタシみたいな人間でもいろんな人に紹介してくれるの。打ち上げにも来なさいって。普通そんなことまでしてくれないな、と今になって思うんだよね。

茶娘 必ず紹介してくれてありがたいよね。

桃娘 気づかいできる人だよね。

茶娘 鈴木さんは 美人とかおばさんとか関係なく、女性には優しいよね。そこが好きです。

桃娘 (同意)

茶娘 しかし、グイグイ迫ってくる女はお嫌いだけど。

邦男の青春、愛した女

進行 邦男さんは紳士だってことなのね。ところで男性としての鈴木さんはどうなんでしょう?

あの年齢まで独身でいるから、いろいろ言われることのある人だけど。

紫娘 幼馴染の布治雄さんは「邦男は学生時代本当にモテた」って言ってたけど。

桃娘 若い頃、勉強会とか合宿にはファンの人がおにぎりを全員分作って持ってきたんだって。

茶娘　おにぎり!!

紫娘　学生時代、活動面で邦男さんて異彩を放っていたんでしょ。やっぱ魅力的だよね。

茶娘　旧いお友達のIさんがいつか暴露してくれた、「F子」って昔の恋人？の名前なのかな。

紫娘　F子さんって、どんな人だったんだろう。

茶娘　謎の女性。その人の話になったとき、鈴木さん本気で照れてた。

紫娘　え──────………

茶娘　話をゴマかそうとしてた。もしかしたら、かつて結婚してたとか？

桃娘　一緒に住んでたという人？

茶娘　えー　同棲時代〜♪

紫娘　F子さ〜〜〜〜ん。

桃娘　旧い知り合いの人から「鈴木さん、昔結婚してましたよね？」とか言われてて、「あ〜、よく覚えてるね〜」という会話を目撃したことがある。あれは何だったんだろう。

茶娘　そ、そうなんだ！

紫娘　超・気になるよー、今日寝れない。衝撃的。

桃娘　でも、F子さんて人かどうか。その人なのかなあ。

茶娘　本人は絶対教えてくれないしな。

桃娘　婚姻歴を聞かれたら「バツイチです！」と言い張るし。

茶娘　ただの見栄なのか、本気なのか？

紫娘　超うける、「バツイチ」とか言ってる邦男さん見たことないわ――。見栄だったらちょっと可愛いよね。

桃娘　板坂剛さんがいつも言ってる。「鈴木さんは70こえているのに童貞だからエライ！　尊敬する！」

茶娘　板坂さんマジで信じてるのかな？

紫娘　でもあの人の纏うオーラの中にうまいこと色気があって、それが下品なエロとはちがうんだよね

茶娘　そう、上品よね。

紫娘　童貞はないよねー。

茶娘　板坂さんの鉄板ジョーク。

紫娘　なんだろね、肩を組まれても嫌な感じしないのに、ほかの人だとぶん殴りたくなる。

茶娘　おとうさんっぽいのよ。

紫娘　そうそう、色気はあるけどエロくない。

茶娘　偉大なるお父様。

紫娘　だからくっついても抱き着いても安心感があるからできるのよ。

桃娘　去年、左翼の女の子に言われたわ。「鈴木さんて、おじいさんなんだけど男として見れるわアタシ」と言ってた。

紫娘　左翼女子よく見てる。

茶娘　さわられても変な感じがしない（笑）。

紫娘　がっついてないからね。激情や欲情を綺麗な和紙で包んでる感じ。だからなんかこっちも警戒しないのかな。アタシはそんな風に感じる。

茶娘　うん、そう思う。

紫娘　うん、がっついてるのを見せないのは余裕があるからだと思う。

茶娘　あと人の悪口いわない、あんまり。人を陥れる感じとかがない。

邦男はやっぱり男前

紫娘　そういえば二人は邦男さんの男らしい！って思ったエピソードある？

桃娘　仲間からくだらない理由で糾弾されている人を助けに行った。たしか去年。

茶娘　おお！

紫娘　おおお!!

桃娘　敵からならまだしも、仲間からってゆうのが許せなかったらしい。
内ゲバ撲滅!!!!!

紫娘　あー、邦男さんそうゆうの嫌いだよね。自分も経験してるから余計許せないよね。

茶娘　いじめられてる感じに見えて助けたくなるのかな。

紫娘　去年のことなの？　最近じゃん？

桃娘　その人がその団体にどれだけ貢献してるか、どれだけ皆がその人に助けられてるか、知ってたからでしょ。

紫娘　かっこよすぎる

桃娘　じゃあ○○さんが抜けたとして、あんたたち○○さんと同じことやってみなさいよ!!　誰もできないでしょう!!　と演説。

紫娘　すげー！　そんなことがあったのか!!

茶娘　ちょっと前に「創」主催の講演会でひとり男の人が集中砲火浴びせられてて、そんなに言わなくても自分の意見言って立派じゃんってかばってた。

紫娘　やだ、男前すぎて、アタシのエピソード言えないわ!!

茶娘　わりと若い子で保守的な意見だったから、すごく攻められてた。一番前の席にいて壇上の人たちとバトってた。

茶娘　叩かれる人を見るとかばってあげたくなるんだよねー。でも講演会とかで話が詰まんないと、つまんないって文句は言うけど（笑）。

茶娘　そうそう。

茶娘　鈴木さんは、あなたの意見はそうなんだねってスタンスがとれる。そこがモテる。

紫娘　下品じゃない。

茶娘　下品に感じる人は自分が絶対正しい、違った意見はぶっ潰す、感じかな。

枯れ専ホスト、ナンバーワン

紫娘　邦男さんて絶対にアタシのしょうもない話とかでもちゃんと聞いてくれるの、それでそれに対してアタシが予想しないような回答を返してくる。

桃娘　返事が予測できないね。いつも。

茶娘　ああーっ、もてる男は女子の話をちゃんと聞く。

桃娘　ほほう。

紫娘　アタシはそこに邦男さんの知性を感じるし優しさも感じる。陽だまりみたいな人なのよ。

茶娘　ホストもそうだ。
紫娘　邦男さんホストだったらナンバーワンかしら。
桃娘　ローランドみたいに。
茶娘　うん、ナンバーワン。
紫娘　ローランドもびっくりやで。
茶娘　ローランド!!!
桃娘　おじいちゃんしかキャストが居ないホスクラってないのかな。バイトすればいいのに。
紫娘　それ作るか!
桃娘　ビッグビジネス!!!
一同　やろう!!!
茶娘　ね、あればいいのに。ナンバー2は、植垣さん?
紫娘　枯れ専ホストクラブ、梵《ぼん》。入るとロックなお経が流れてきたり。
茶娘　お酒じゃなくて、お茶とか。
紫娘　そうそう、お酒じゃなくて白湯。
桃娘　さゆ。
紫娘　体にいいもの出して一緒に食事。

茶娘　しかし女子の話をじっくり聞く枯れ男子、なかなか人材いないわ。

桃娘　でもさ、むかし遠藤誠弁護士と鈴木さんが共著で出したエロい本知ってる？『行動派の整理学』(現代書館)。

紫娘　エロいのか！　それ読んでない！

桃娘　「乳頭と乳首はどう違うか」「ダッチワイフのダッチとは何か」とか、二人で真面目に論争してるの。でもほとんどのエロ論争で、インテリ左翼の遠藤弁護士に論破されてた…。

一同　アカンやん!!

初出一覧

1 女について語るとき鈴木邦男が語ること
…………各項末に記載

2 対話篇「女子に学べ！」

No.1 望月衣塑子／No.4 雨宮処凛／No.6 三浦瑠麗
No.7 ミサオ・レッドウルフ／No.8 松本麗華
…………Web『現代用語の基礎知識』《鈴木邦男のオンラインで語ろう》
No.2 溝口紀子／No.3 赤尾由美／No.5 塩田ユキ
…………月刊『紙の爆弾』《鈴木邦男のニッポン越境問答》
No.9 入江杏
…………鈴木邦男の愛国問答2017年9月27日（マガジン9）

右記以外は書き下ろし。

彼女たちの好きな鈴木邦男

2020年2月14日　初版第1刷発行

著者　鈴木邦男
編者　邦男ガールズ
発行人　椎野礼仁
発行所　ハモニカブックス
〒169-0075 東京都新宿区高田馬場 2-11-3-202
TEL. 03-6273-8399
FAX. 03-5291-7760
http://www.hamonicabooks.com/
印刷・製本　株式会社日本制作センター
装幀　藤原有記
企画・構成　シミズヒトシ
Special Thanks　高木あさこ／清水飛鳥

落丁・乱丁本はお取り替えいたします。

ISBN 978-4-907349-18-9 C0095